La Cuisine, un vrai jeu d'enfant!

Des recettes pour enfants
pour toutes les occasions

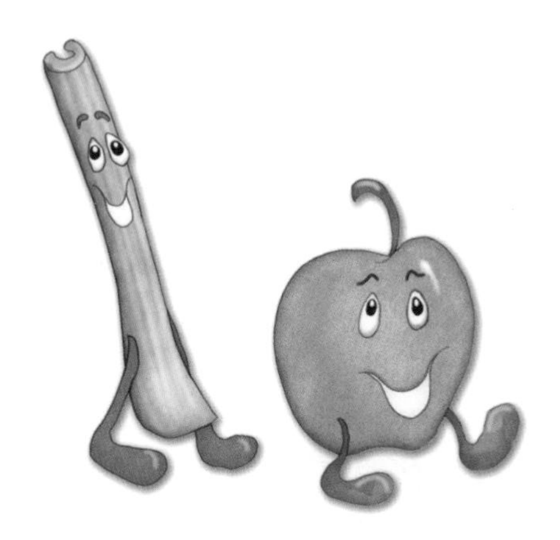

Simple Dream

info@simpledream.ca

Recettes : Joy Hall, Danielle Van Schaick, Christine L. Brière

Adaptation française : Marie Chemel-Lefebvre
Consultant adaptation française : Anne Giguère

ISBN 978-1-897115-42-8

Lorsque j'avais environ quatre ans, mon père m'a fait cadeau d'une pochette de 12 stylos-feutres de couleur. J'étais aux anges! Je me souviens d'avoir passé de nombreuses heures dans la cuisine, toute à ma joie de dessiner et de colorier mes œuvres avec ces stylos-feutres, tandis que ma mère préparait le souper. Elle avait pris l'habitude de sortir des légumes du réfrigérateur et de les disposer devant moi sur la table, pour que je puisse les dessiner. J'étais alors trop jeune pour réellement participer à la préparation des repas, mais elle me donnait ainsi l'occasion d'unir mes qualités artistiques à son amour de la cuisine familiale. C'étaient des instants privilégiés pour maman et moi.

Cuisiner avec vos enfants peut être une expérience très valorisante, pour eux autant que pour vous; le secret consiste à capter leur intérêt. Les impliquer dans la planification et la préparation des repas les aidera non seulement à mieux connaître les aliments, mais leur permettra également d'apprécier le processus et le travail nécessaires. De la même façon, les laisser participer aux décisions concernant les menus développera leur sens des responsabilités et fera naître chez eux un sentiment de fierté. Mais par-dessus tout, ils apprécieront le fait de passer du temps avec vous.

★ ★ ★ ★ ★

Les recettes présentées dans ce livre ont été spécialement sélectionnées pour le plaisir qu'auront les enfants à les préparer. Elles ont été conçues pour faire de la cuisine une activité distrayante et les thèmes des chapitres où elles sont regroupées – tels que recettes spéciales pour boîtes à lunch, anniversaires et fêtes autour de la piscine – de même que les illustrations colorées qui les accompagnent et rehaussent agréablement chaque page inciteront vos enfants à venir vous rejoindre à la cuisine. Le « petit marmiton » est un charmant personnage qui apparaît au fil du livre et qui suggère de quelle manière votre enfant peut aider, sous votre supervision bien sûr.

● ● ● ● ●

En créant ce livre, notre philosophie s'est inspirée des principes suivants : passer du temps de qualité avec vos enfants, c'est essentiel; avoir accès à des idées de recettes à la fois pour les menus de tous les jours et pour les occasions spéciales, c'est précieux; enfin, partager de bons moments en famille et créer des souvenirs mémorables, ça n'a pas de prix!

-- Joy Hall --

Table des matières

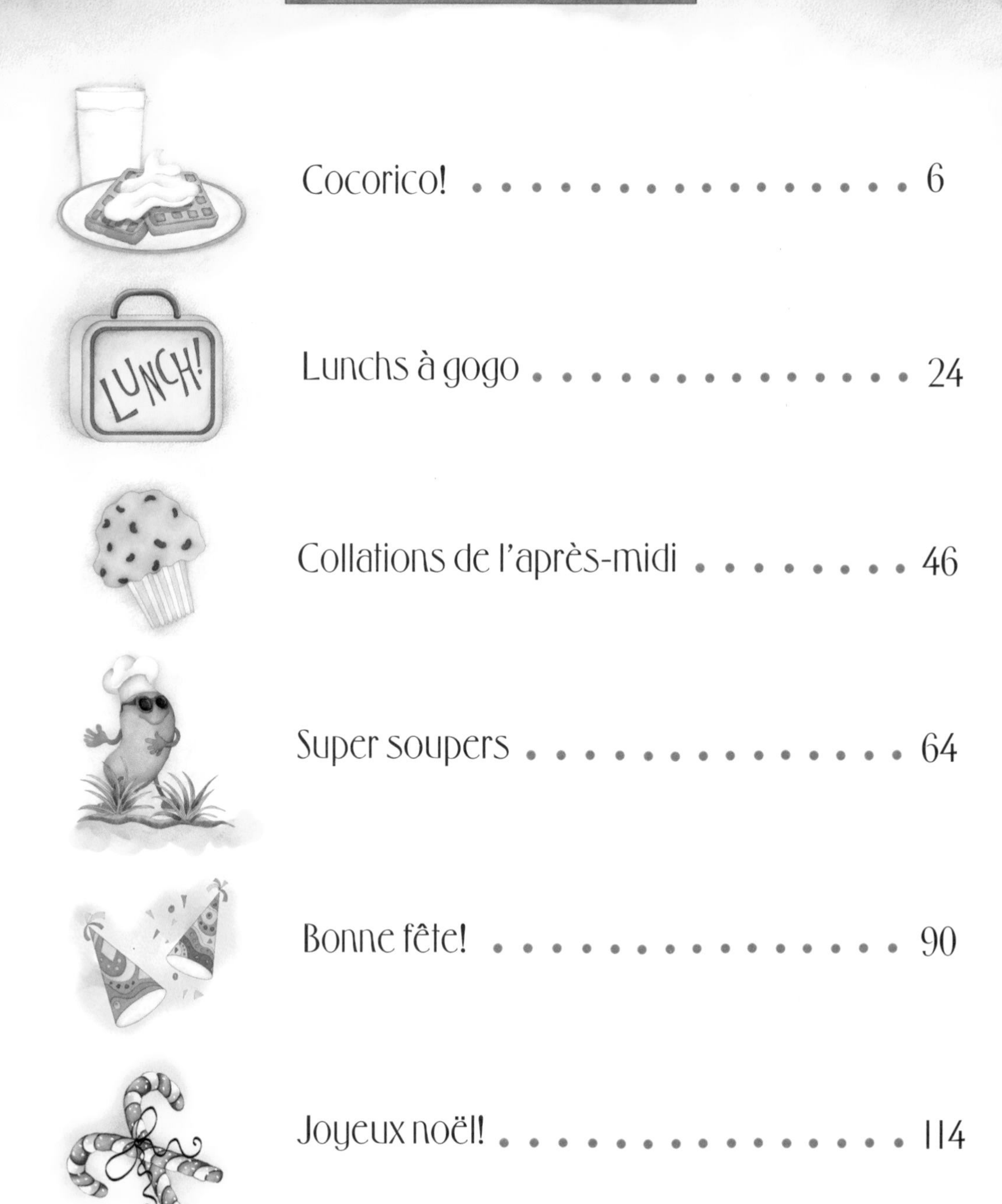

Petit marmiton

Le déjeuner est mon repas préféré. Lorsque j'étais petite, j'éprouvais un grand plaisir à être réveillée par les délicieux effluves qui s'échappaient de la cuisine, remontaient le couloir et arrivaient jusqu'à ma chambre! Plus tard, lorsque j'ai eu moi-même des enfants, j'ai voulu recréer cette même merveilleuse atmosphère matinale pour ma propre famille. J'aimais me lever tôt et me diriger vers la cuisine, pour y concocter un bon déjeuner, autant pour aider ma famille à bien commencer la journée que pour créer d'heureux souvenirs.

Un matin d'automne, peu de temps après l'entrée de mon fils aîné à la maternelle, je me suis rendue à son école pour assister à ma première réunion parents-professeur. Son enseignante me fit un compte rendu complet de ses prouesses et de ses difficultés, puis me raconta une petite histoire d' « objet secret ». Il s'agissait d'une activité pour laquelle chaque enfant devait apporter un objet de chez lui, qu'il avait dissimulé dans un sac en papier. Chaque jour, un nouvel enfant se plaçait devant la classe et, à l'aide d'indices, devait tenter de faire deviner à ses camarades quel objet était caché dans son sac.

Ce jour-là, une petite fille avait livré un indice décrivant de quelle manière son objet (un fouet) était employé : « C'est quelque chose que votre maman fait lorsqu'elle prépare des crêpes. » Ce sur quoi mon fils avait promptement répondu : «Te faire sortir de la cuisine? »

Je réalisai aussitôt que j'étais passée à côté du vrai secret de cette expérience qu'est le petit déjeuner. J'étais tellement soucieuse de confectionner un repas parfait que je n'avais tout simplement pas vu ce que mon fils désirait vraiment : participer à sa préparation. Amusez-vous avec votre enfant à essayer les savoureuses recettes de déjeuner rassemblées dans ce chapitre. Ce faisant, vous créerez ensemble de merveilleux souvenirs.

COCORICO!

Déjeuner aux tacos

6 œufs
450 g (1 lb) de saucisses
Un oignon haché
Fromage râpé
3 pommes de terre cuites au four
Une pincée d'ail en poudre
Tortillas

Dans une poêle à frire, brouiller les œufs. Réserver.

Dans une autre poêle, faire cuire les saucisses après en avoir émietté la chair, jusqu'à ce qu'elles soient bien dorées.

Ajouter l'oignon et le fromage râpé; mélanger.
Ajouter ensuite les pommes de terre hachées (ou râpées) et l'ail en poudre. Faire cuire à feu doux pendant 5 à 9 minutes.

Verser les œufs brouillés dans la préparation et laisser cuire le tout encore une minute. Faire chauffer les tortillas et y étendre la préparation chaude. Servir immédiatement.

Donne 6 portions

Omelette « verte » au jambon

2 gros œufs
2 ml (½ c. à thé) de sel
1 ml (¼ de c. à thé) de poivre noir moulu
250 ml (1 tasse) d'épinards frais ou
surgelés, hachés
75 ml (⅓ de tasse) de persil italien, haché
3 oignons verts hachés (n'utiliser que la
partie verte)
125 ml (½ tasse) de jambon maigre haché

Dans un bol à mélanger, battre les œufs, le sel et le poivre jusqu'à obtention d'un mélange homogène.

Badigeonner une poêle à frire de taille moyenne d'un enduit végétal et faire chauffer celle-ci à feu moyen. Y déposer les épinards. Ajouter le persil, les oignons verts et le jambon en remuant. Faire cuire le tout jusqu'à ce que les légumes verts aient diminué de volume.

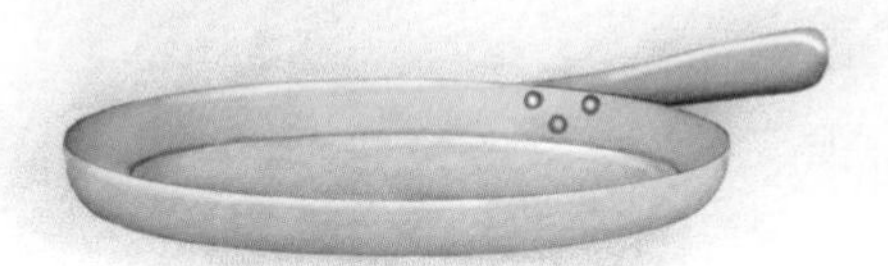

Verser alors les œufs battus et remuer constamment, pour qu'ils se mélangent bien aux autres ingrédients et deviennent brouillés.
Diviser la préparation en deux parts égales et servir immédiatement.

Donne 2 portions

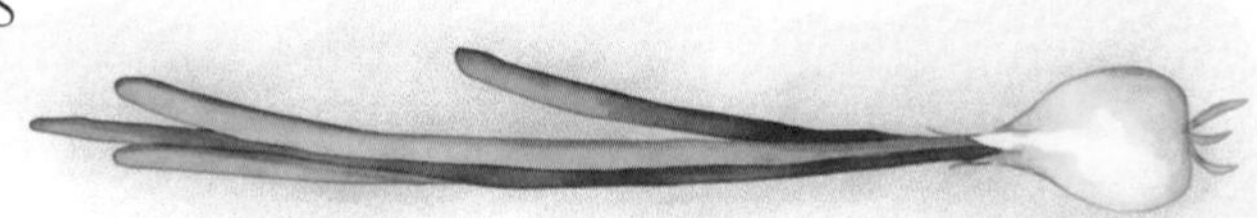

Crêpes et gaufres... tellement simples

3 gros œufs
2 ml (½ c. à thé) de sel
500 ml (2 tasses) de lait froid
30 ml (2 c. à table) de beurre fondu
500 ml (2 tasses) de farine tout-usage
30 ml (2 c. à table) de sucre
Huile de maïs

Dans un grand bol, mélanger les œufs et le sel. Ajouter le lait et le beurre; bien mélanger. Ajouter la farine et le sucre et mélanger de nouveau.

Badigeonner le fond d'une poêle à crêpes d'un peu d'huile de maïs; faire chauffer la poêle à feu moyen, jusqu'à ce qu'elle devienne à peine chaude. (Vous pouvez tester la chaleur de la poêle en y versant une petite goutte de pâte.)

Verser à peine 50 ml (¼ de tasse) de pâte dans la poêle et la pencher rapidement dans toutes les directions, pour que la pâte se répartisse sur toute la surface en formant une couche très mince.

Faire cuire la crêpe pendant environ 1 minute, ou jusqu'à ce que vous ne voyiez plus de liquide au centre. Soulever le bord de la crêpe pour vérifier si elle est cuite. Elle est prête à être retournée lorsqu'elle glisse au fond de la poêle lorsque vous agitez celle-ci. Retourner alors la crêpe et la faire cuire de l'autre côté pendant environ 30 secondes.

Les crêpes peuvent être congelées. Pour les réchauffer, les placer dans un plat allant au four, à 150 °C (300 °F), en ayant pris soin de les couvrir.

Remarque : Cette recette est parfaite pour ces matins où les membres de la famille n'arrivent pas à s'entendre sur un choix de mets. La pâte peut servir à préparer à la fois des crêpes et des gaufres. Il est facile de préparer les deux en même temps : pendant que les gaufres cuisent dans le gaufrier, vous pouvez faire les crêpes.

Donne 3 à 4 portions (environ 10 crêpes ou gaufres)

Crêpes express au yogourt

2 œufs
500 ml (2 tasses) de yogourt nature
60 ml (4 c. à table) d'huile végétale
500 ml (2 tasses) de farine tout-usage, non tamisée
15 ml (1 c. à table) de sucre
10 ml (2 c. à thé) de poudre à pâte
5 ml (1 c. à thé) de bicarbonate de soude
5 ml (1 c. à thé) de sel

Nappage aux bleuets parfumé à la cannelle :
500 ml (2 tasses) de yogourt aux bleuets
60 ml (4 c. à table) de miel
2 ml (½ c. à thé) de cannelle moulue

Mélanger les œufs, le yogourt nature et l'huile dans le bol du mélangeur jusqu'à obtention d'une préparation homogène. Ajouter tous les ingrédients secs et mélanger de nouveau jusqu'à ce que le tout soit bien homogène.

Pour confectionner vos crêpes, verser à peine 50 ml (¼ de tasse) de pâte dans une crêpière légèrement huilée et bien chaude. Lorsque le dessus de la crêpe forme des bulles, la retourner. Faire cuire l'autre côté pendant 1 à 2 minutes.

Servir avec du beurre et du sirop ou recouvertes du nappage aux bleuets parfumé à la cannelle.

Nappage aux bleuets parfumé à la cannelle : Combiner les ingrédients dans une petite casserole et faire cuire le tout à feux doux, jusqu'à ce que la préparation soit chaude, sans la faire bouillir.
En napper les crêpes.

Donne 4 portions

Gaufres croustillantes

425 ml (1¾ tasse) de crème à fouetter
375 ml (1½ tasse) de farine tout-usage, tamisée
250 ml (1 tasse) d'eau froide
50 ml (¼ de tasse) de beurre fondu

Dans un petit bol, fouetter la crème jusqu'à ce qu'elle soit légère.

Dans un grand bol, battre ensemble la farine, l'eau et une petite quantité de crème fouettée.

Incorporer délicatement le reste de la crème fouettée et le beurre fondu dans la préparation, puis placer celle-ci au réfrigérateur pour 1 heure.

Faire chauffer le gaufrier et, à l'aide d'un pinceau, l'enduire d'une petite quantité de beurre. Y verser la pâte et laisser cuire la gaufre.

Si désiré, vous pouvez servir les gaufres ainsi préparées avec de la crème fouettée.

Donne 3 à 4 portions

Gaufres « Mademoiselle »

250 ml (1 tasse) d'eau bouillante
250 ml (1 tasse) de semoule de maïs jaune
500 ml (2 tasses) de farine tout-usage, tamisée
15 ml (3 c. à thé) de poudre à pâte
6 ml (1¼ c. à thé) de sel
15 ml (1 c. à table) de sucre
500 ml (2 tasses) de lait
3 jaunes d'œuf bien battus
45 ml (3 c. à table) de beurre fondu
2 blancs d'œufs battus en neige ferme

Dans un grand bol, verser la semoule de maïs, puis l'eau bouillante. Réserver.

Dans un autre bol, tamiser la farine une fois, puis prélever la quantité requise; y ajouter la poudre à pâte, le sel et le sucre, et tamiser le tout de nouveau.

Ajouter le lait à la semoule de maïs, puis les jaunes d'œufs et la farine tout en remuant bien.

Incorporer le beurre fondu, puis les blancs d'œufs en pliant délicatement la pâte.

Faire cuire la pâte dans un gaufrier bien chaud.

Servir les gaufres chaudes napées de sirop, ou selon vos goûts.

Donne 4 portions (environ 12 gaufres)

Petit marmiton

Tamise les 500 ml (2 tasses) de farine dans le bol à mélanger.

Omelette exquise au cheddar

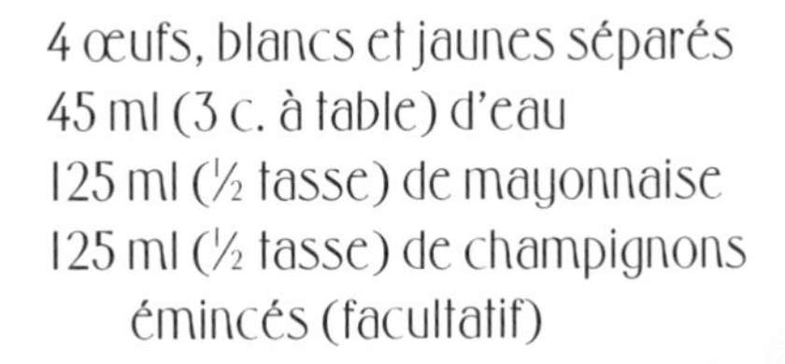

4 œufs, blancs et jaunes séparés
45 ml (3 c. à table) d'eau
125 ml (½ tasse) de mayonnaise
125 ml (½ tasse) de champignons émincés (facultatif)
125 ml (½ tasse) de jambon cuit coupé en dés
30 ml (2 c. à table) de beurre
250 ml (1 tasse) de cheddar râpé
Sel et poivre au goût

Préchauffer le four à 180 °C (350 °F).

Dans un grand bol, battre les blancs en neige jusqu'à formation de pics mousseux.

Dans un autre bol, battre ensemble les jaunes d'œufs, l'eau et la mayonnaise. Incorporer la préparation dans les blancs en pliant délicatement la pâte. Ajouter les champignons et le jambon et assaisonner.
Faire fondre le beurre dans une poêle allant au four, puis y verser la préparation aux œufs.

Faire cuire à feu doux sans remuer pendant 10 minutes, ou jusqu'à ce que le dessous de l'omelette soit légèrement doré, mais le dessus encore mousseux.

Placer alors la poêle au four et laisser cuire 5 minutes. Saupoudrer de fromage et laisser cuire encore 1 ou 2 minutes, ou jusqu'à ce que le fromage ait complètement fondu.

Retirer la poêle du four. Soulever le contour de l'omelette et faire une incision au centre, à la surface, pour qu'elle se plie plus facilement.

Plier l'omelette sur elle-même et servir.

Donne 2 portions

Omelette espagnole

10 ml (2 c. à thé) d'huile d'olive
1 petit oignon, émincé
1 petite pomme de terre, coupée en rondelles
1 tomate, épépinée et coupée en dés
15 ml (1 c. à table) de persil frais, émincé
4 œufs battus
Sel au goût

Sur un feu moyen, mettre 5 ml (1 c. à thé) d'huile d'olive dans une grande poêle antiadhésive, et y faire revenir l'oignon et la pomme de terre jusqu'à ce que la chair de la pomme de terre soit tendre.

Ajouter la tomate et le persil et faire cuire jusqu'à ce que le jus de la tomate se soit presque entièrement évaporé.

Transférer le mélange dans un grand bol, et y incorporer les œufs et le sel.

Essuyer la poêle, la placer sur un feu moyen-élevé et la laisser chauffer pendant environ 2 minutes.

Mettre alors 5 ml (1 c. à thé) d'huile d'olive dans la poêle et la faire tourner de façon à y répartir l'huile. Y placer le mélange aux œufs; faire tourner de nouveau la poêle pour que le mélange soit bien réparti. Baisser le feu, couvrir, et laisser cuire le tout en surveillant régulièrement le degré de cuisson du dessus de l'omelette. Faire glisser l'omelette en la retournant sur un plat. Couper en pointes et servir.

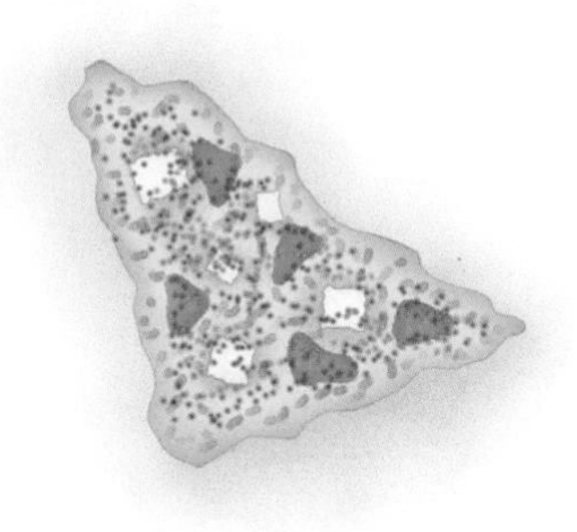

Donne 4 portions

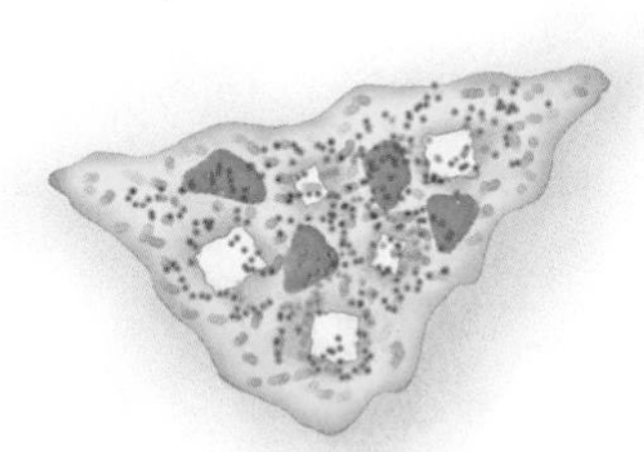

Omelette soufflée

4 blancs d'œuf
4 jaunes d'œuf
90 g (3 oz) de bacon en tranches, découpé
en fines lamelles
50 ml (¼ de tasse) de cheddar râpé
2 ml (½ c. à thé) de basilic frais haché
1 ml (¼ de c. à thé) de poivre blanc
25 ml (5 c. à thé) de beurre ou de margarine
125 ml (½ tasse) de champignons frais hachés
50 ml (¼ de tasse) de poivron vert haché
1 grosse tomate, pelée, épépinée et hachée

Dans un grand bol, battre les blancs en neige jusqu'à formation de pics fermes.
Dans un autre bol, battre les jaunes jusqu'à ce qu'ils prennent une couleur jaune pâle et épaississent; y ajouter le bacon, le fromage, la moitié du basilic et le poivre, puis incorporer délicatement, en pliant, cette préparation dans les blancs battus.

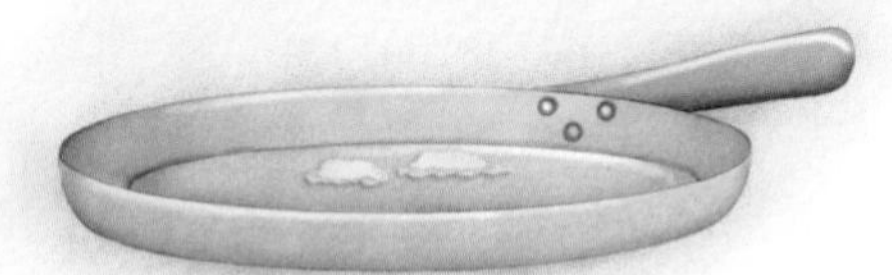

Faire chauffer 10 ml (2 c. à thé) de beurre dans une poêle qui va au four, à feu moyen. Déposer à la cuillère la préparation aux œufs dans la poêle en aplanissant délicatement la surface. Laisser cuire à feu doux pendant 7 à 8 minutes ou jusqu'à ce que le dessous de l'omelette prenne une teinte dorée. Puis, mettre la poêle au four, à 180 °C (350 °F) et faire cuire l'omelette pendant encore 10 à 12 minutes.

Pendant ce temps, dans une autre poêle, faire revenir les champignons et le poivron vert dans le reste du beurre à feu moyen pendant 3 minutes, ou jusqu'à ce que les légumes soient tendres. Ajouter le reste du basilic et la tomate; faire cuire 5 minutes ou jusqu'à réduction du liquide, en remuant de temps en temps.

Soulever les bords de l'omelette à l'aide d'une spatule. Incisez l'omelette en surface, en décalant la spatule du centre, de façon à obtenir une moitié légèrement plus grande. Déposer la garniture aux légumes sur cette dernière, puis faire basculer la poêle pour replier la petite moitié sur la grande. Faire glisser l'omelette sur un plat de service et servir immédiatement.

Donne 2 portions

Omelette tricolore

5 ml (1 c. à thé) de beurre ou de margarine
1 poivron rouge, coupé en fines lamelles
1 poivron jaune doux, coupé en fines lamelles
4 blancs d'œuf
5 ml (1 c. à thé) de basilic frais haché ou 2 ml (½ c. à thé) de basilic séché
1 ml (¼ de c. à thé) de poivre noir
10 ml (2 c. à thé) de parmesan râpé

Mettre le beurre dans une grande poêle à frire antiadhésive et le faire chauffer à feu moyen. Y verser les poivrons rouge et jaune, et les faire revenir pendant 4 à 5 minutes, en remuant souvent. Puis baisser le feu au minimum, et réserver au chaud.

Dans un petit bol, battre légèrement les blancs d'œuf, le basilic et le poivre noir. Graisser une petite poêle à frire antiadhésive avec du beurre ou de la margarine et la laisser chauffer à feu moyen-élevé.

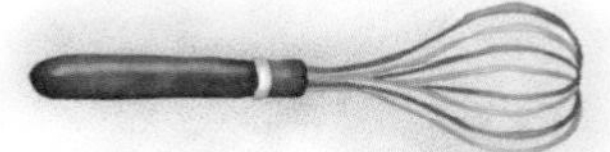

Y verser la moitié de la préparation aux blancs d'œuf et soulever légèrement la poêle en tournant de façon à bien la répartir. Faire cuire jusqu'à ce que les œufs aient bien pris. Décoller délicatement l'omelette et la retourner. La faire cuire jusqu'à ce qu'elle devienne ferme. Répandre la moitié des poivrons sur l'omelette, puis la plier en deux.

Transférer le tout dans une assiette et saupoudrer de 5 ml (1 c. à thé) de parmesan. Répéter l'opération avec l'autre moitié des blancs et le reste des poivrons et du parmesan, de façon à obtenir une deuxième omelette.

Donne 2 portions

Pain doré au four

10 ml (2 c. à thé) de sucre
1 ml (¼ de c. à thé) de sel
2 œufs
250 ml (1 tasse) de lait
50 ml (¼ de tasse) d'huile végétale
8 tranches de pain

Préchauffer le four à 230 °C (450 °F).
Mettre le sucre, le sel et les œufs dans un plat peu profond; mélanger bien le tout. Incorporer le lait et l'huile en remuant.
Tremper les tranches de pain dans la préparation en les retournant une fois, et les déposer dans un plat bien graissé.
Faire cuire au four environ 10 minutes, ou jusqu'à ce que les tranches soient bien dorées.

Donne 4 à 8 portions

Lait « dynamite » à l'orange

125 ml (½ tasse) de lait de soja enrichi
(goût nature ou à la vanille)
125 ml (½ tasse) de jus d'orange
15 ml (1 c. à table) de poudre de lait écrémé (pour
augmenter la teneur en protéines de la boisson – facultatif)
50 ml (¼ de tasse) de yogourt nature ou parfumé à la vanille
(pour augmenter la teneur en protéines de la boisson et
l'épaissir)

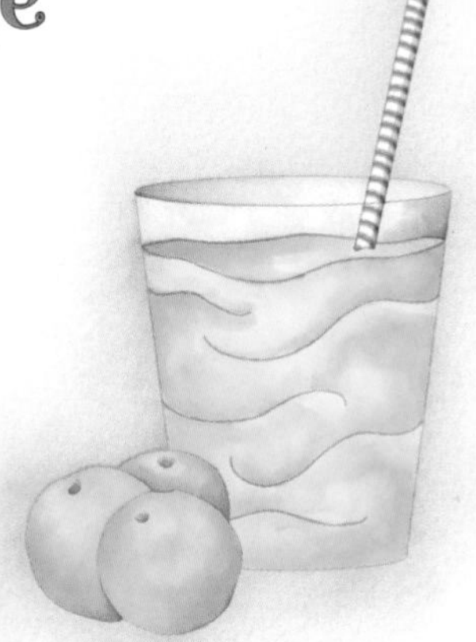

Placer tous les ingrédients dans le bol du mélangeur; mêler le tout jusqu'à obtention d'une préparation homogène et mousseuse.
Verser dans votre tasse ou votre verre préférés et savourer!

Donne 1 portion

Granola maison

500 ml (2 tasses) de gruau
125 ml (½ tasse) d'amandes effilées
125 ml (½ tasse) de germe de blé
50 ml (¼ de tasse) de miel
50 ml (¼ de tasse) d'huile végétale
5 ml (1 c. à thé) d'extrait de vanille
125 ml (½ tasse) de canneberges séchées
125 ml (½ tasse) de lait, de lait de soja ou de lait de riz (facultatif)

Préchauffer le four à 160 °C (325 °F).

Dans un grand bol, mélanger à la cuillère le gruau, les amandes et le germe de blé.

Dans un petit bol, combiner le miel, l'huile et la vanille, et verser la préparation dans le bol contenant le gruau. Travailler le mélange à la main (veiller à bien se laver les mains au préalable) pour obtenir une préparation homogène.

Étaler la préparation sur une plaque à cuisson antiadhésive. Faire cuire 15 minutes au four.

Retirer la plaque du four, puis à l'aide d'une grosse cuillère, remuer un peu la préparation, avant d'y ajouter les canneberges séchées. Remettre la plaque au four pour 10 minutes de plus. Retirer les céréales du four et les laisser refroidir.

Pour le déjeuner, servir 125 ml (½ tasse) de granola mélangé à 125 ml (½ tasse) de lait dans un bol à céréales.

Peut être également servi comme collation.

Donne 8 portions

Remarque : Il est possible de préparer votre mélange granola à l'avance et de le conserver dans un contenant hermétique pour en préserver la fraîcheur et le croquant.

Muffins au son

45 ml (3 c. à table) de beurre ramolli (à la température de la pièce)
50 ml (¼ de tasse) de mélasse
1 œuf
250 ml (1 tasse) de céréales de son
175 ml (¾ de tasse) de babeurre
250 ml (1 tasse) de farine tout-usage, tamisée
5 ml (1 c. à thé) de poudre à pâte
2 ml (½ c. à thé) de bicarbonate de soude
2 ml (½ c. à thé) de sel
125 ml (½ tasse) de raisins secs

Préchauffer le four à 200 °C (400 °F).

Dans un grand bol à mélanger, battre ensemble le beurre et la mélasse. Ajouter l'œuf et battre vigoureusement. Incorporer le son et le babeurre. Laisser reposer 5 minutes.

Dans un autre bol, tamiser la farine, la poudre à pâte, le bicarbonate de soude et le sel.

Verser les ingrédients humides dans le bol des ingrédients secs et mélanger jusqu'à ce que la pâte devienne homogène. Ajouter les raisins secs.

Remplir aux ⅔ des moules à muffins (graissés).
Faire cuire au four environ 25 minutes.

Donne 9 gros muffins

Muffins Bananarama

125 ml (½ tasse) de beurre ou de margarine
250 ml (1 tasse) de sucre
1 œuf, bien battu
125 ml (1 tasse) de bananes écrasées à la
fourchette (2 à 3 bananes de taille moyenne)
375 ml (1½ tasse) de farine tout-usage
5 ml (1 c. à thé) de bicarbonate de soude, dilué
dans 45 ml (3 c. à table) d'eau
5 ml (1 c. à thé) de vanille
Un soupçon de muscade
Une pincée de sel

Préchauffer le four à 190 °C (375 °F).

Dans un grand bol, battre en crème le beurre et le sucre. Ajouter l'œuf, les bananes, la farine, le bicarbonate dilué dans l'eau, la vanille, la muscade et le sel. Bien mélanger.

À l'aide d'une cuillère, remplir aux ⅔ des moules à muffins graissés ou tapissés de moules en papier.

Cuire au four pendant 15 à 20 minutes.

Donne 14 à 16 muffins

Lait Coco-banane

500 ml (2 tasses) de lait
1 banane
15 ml (1 c. à table) de noix de coco râpée
15 ml (1 c. à table) de miel

Placer tous les ingrédients dans le bol du mélangeur et mêler le tout jusqu'à obtention d'un mélange homogène.
Verser dans de grands verres et servir.

Donne 2 portions

Cacao Bon M-e-u-tin

250 ml (1 tasse) de sucre
125 ml (½ tasse) de cacao non sucré
Une pincée de sel
500 ml (2 tasses) d'eau bouillante
1½ litre (6 tasses) de lait réchauffé (juste au-dessous du point d'ébullition)

Dans une casserole moyenne, combiner le sucre, le cacao et le sel; bien mélanger. Ajouter l'eau petit à petit, en remuant constamment. Amener à ébullition et faire bouillir 3 minutes. Retirer du feu. Verser le lait chaud dans le mélange et battre 2 minutes au fouet métallique, en veillant à éviter les éclaboussures de liquide brûlant.

Donne 8 portions d'une tasse

Yogourt fouetté à la pêche

625 ml (2½ tasses) de pêches pelées et coupées en dés
250 ml (1 tasse) de lait
250 g (1 tasse) de yogourt à la vanille

Placer tous les ingrédients dans le bol du mélangeur. Mêler le tout jusqu'à obtention d'un mélange homogène. Servir dans de grands verres.

Donne 2 portions

Lait de poule à l'orange

20 ml (4 c. à table) de jus d'orange concentré
  surgelé (décongelé)
250 ml (1 tasse) de crème glacée à la vanille
250 ml (1 tasse) de lait
2 œufs
15 ml (1 c. à table) de sucre

Placer tous les ingrédients dans le bol du mélangeur; combiner le tout à faible puissance jusqu'à obtention d'un mélange homogène, puis mélanger la préparation à puissance élevée pendant environ 30 secondes pour rendre la boisson mousseuse.

Donne 3 ou 4 portions

Lorsque j'étais en deuxième année du niveau primaire, le lunch de ma meilleure amie consistait invariablement en un sandwich au beurre d'arachide et à la confiture. Ni le type de pain ni la marque de la confiture ou celle du beurre d'arachide ne variaient. Pour ma part, je mangeais en général le repas offert par la cafétéria.

Une fois devenue maman, j'ai réalisé que trouver des idées pour remplir les boîtes à lunch parées de super héros de mes fils n'était pas chose facile. Il m'arrivait parfois de rejoindre mon plus jeune fils, encore à la maternelle, pour le lunch. À voir autour de moi les tentatives des parents pour munir leurs petits écoliers de lunchs appétissants, je constatais que je n'étais pas la seule à me démener pour rendre ce repas intéressant.

Ce chapitre contient un assortiment de lunchs goûteux et créatifs pour aider votre enfant à bien passer l'heure du dîner à l'école. Les associer à la préparation de leur lunch ne fera que décupler leur plaisir quand viendra l'heure de le déguster!

Pour l'anecdote : La mère de ma meilleure amie, celle qui mangeait tous les jours un sandwich au beurre d'arachide et à la confiture, est devenue plus tard la responsable de la cafétéria de l'école!

LUNCHS À GOGO

Tortillas de poulet

250 ml (1 tasse) de poulet cuit émietté
½ tasse de chou haché
1 carotte de taille moyenne, râpée
125 ml (½ tasse) d'abricots séchés, hachés
125 ml (½ tasse) de mayonnaise
8 ml (½ c. à table) de vinaigre de riz
5 tortillas de 18 cm (7 po)

Dans un bol à mélanger, combiner le poulet, le chou, la carotte râpée et les abricots. Ajouter la mayonnaise et le vinaigre. Bien mélanger.

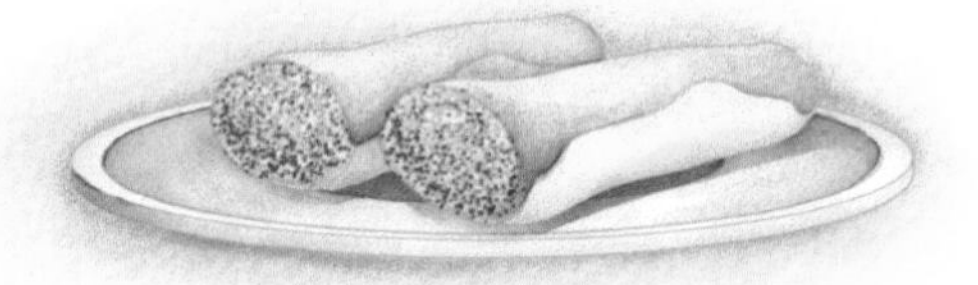

Placer une grosse cuillerée de cette garniture au centre de chaque tortilla; rouler serré. Emballer dans une pellicule plastique pour que les tortillas restent bien roulées. Conserver au frais.

Donne 5 portions

Conseil de salubrité : Placer un bloc réfrigérant dans la boîte à lunch de votre enfant.

MINI CHILI

Voici un lunch rapide à faire et facile à transporter, qui est faible en gras et riche en fibres et en nutriments essentiels. Il suffit d'emballer tous les ingrédients nécessaires au repas la veille et de le cuire à l'école, s'il y a un four à micro-ondes.

250 ml (1 tasse) de riz brun, cuit
175 ml (¾ de tasse) de haricots rouges, rincés et égouttés
125 ml (½ tasse) de grains de maïs congelés
125 à 175 ml (½ à ¾ de tasse) de tomates en dés en conserve
50 ml (¼ de tasse) de poivron vert coupé en dés
30 ml (2 c. à table) d'oignon finement haché
1 à 2 ml (¼ à ½ c. à thé) de chili en poudre

Dans un contenant en plastique allant au four à micro-ondes, mélanger le riz, les haricots, le maïs, les tomates, le poivron vert, l'oignon et le chili en poudre. Fermer le contenant à l'aide de son couvercle et le secouer doucement jusqu'à ce que les ingrédients soient bien mélangés.

Conserver au réfrigérateur pendant la nuit. À l'école, placer le contenant partiellement recouvert dans un four à micro-ondes. Cuire à puissance ÉLEVÉE pendant 2 ou 3 minutes, ou jusqu'à ce que la préparation soit chaude. Mélanger avant de servir.

Donne 2 ou 3 portions

Salade de macaronis au poulet

500 ml (2 tasses) de macaronis non cuits
500 ml (2 tasses) de céleri tranché
500 ml (2 tasses) de poulet cuit, coupé en dés
2 grosses tomates, coupées en dés
125 ml (½ tasse) de poivron émincé
30 ml (2 c. à table) d'oignon émincé
250 ml (1 tasse) de mayonnaise
10 ml (2 c. à thé) de moutarde
Sel et poivre au goût

Cuire les macaronis selon les instructions de l'emballage; rincer et égoutter.

Dans un grand bol, combiner les macaronis cuits, le céleri, le poulet, les tomates, le poivron et l'oignon.

Dans un petit bol, mélanger la mayonnaise et la moutarde.

Ajouter la sauce à la salade de macaronis et remuer pour bien enrober tous les ingrédients. Saler et poivrer au goût pour assaisonner.

Couvrir et laisser refroidir 3 à 4 heures au réfrigérateur.

Donne 6 portions

Conseil de salubrité : Placer un bloc réfrigérant dans la boîte à lunch de votre enfant.

Pains grillés au thon (façon pizza)

1 boîte de 99 g (3.5 oz) de thon en conserve, égoutté
50 ml (¼ de tasse) de ketchup
1 ml (¼ de c. à thé) d'origan séché
0,5 ml (⅛ de c. à thé) d'ail en poudre
4 tranches de pain
50 ml (¼ de tasse) de fromage râpé

Dans un petit bol, mélanger le thon, le ketchup, l'origan et l'ail en poudre.
Faire griller le pain; y étaler la garniture de thon.
Saupoudrer de fromage râpé.
Mettre dans un plat de cuisson et passer sous le gril du four jusqu'à ce que le fromage soit fondu.

Donne 2 portions

Sandwichs au jambon

75 ml (⅓ de tasse) de jambon
250 ml (1 tasse) de fromage cottage
15 ml (1 c. à table) d'oignon finement haché
30 ml (2 c. à table) de relish de cornichons sucrés
45 ml (3 c. à table) de crème sure
8 tranches de pain

Dans un bol moyen, combiner le jambon, le fromage cottage, l'oignon, la relish et la crème sure; bien mélanger. (La garniture peut être préparée la veille au soir et conservée au frais.)

Au moment de faire les « Sandwichs au jambon », étaler la garniture sur 4 tranches de pain. Les couvrir avec les tranches de pain restantes.

Donne 4 sandwichs

Sandwichs aux œufs fromagés

3 œufs durs
125 ml (½ tasse) de mayonnaise ou de sauce pour salade
250 ml (1 tasse) de cheddar râpé
50 ml (¼ de tasse) de céleri finement haché
8 tranches de pain
4 tranches de tomate (facultatif)
4 feuilles de laitue (facultatif)

Dans un bol, écraser les œufs durs. Ajouter la mayonnaise, le fromage râpé et le céleri, et mélanger. Mettre au frais jusqu'à ce que la préparation soit complètement refroidie.

Pour chaque sandwich, étaler 125 ml (½ tasse) de garniture aux œufs bien refroidie sur une tranche de pain. Au goût, ajouter une tranche de tomate et une feuille de laitue.

Couvrir à l'aide d'une autre tranche de pain et presser légèrement.

Donne 4 sandwichs

Conseil de salubrité : Placer un bloc réfrigérant dans la boîte à lunch de votre enfant.

Quiche au jambon, bacon et poireaux

6 tranches de bacon
125 ml (½ tasse) de jambon coupé en dés
1 poireau émincé (n'utiliser que la partie blanche)
375 ml (1½ tasse) de fromage suisse râpé
15 ml (1 c. à table) de farine tout-usage
250 ml (1 tasse) de succédané d'œuf
250 ml (1 tasse) de crème légère
250 ml (1 tasse) de lait
1 croûte de tarte préparée de 23 cm (9 po)

Préchauffer le four à 190 °C (375 °F).

Faire frire le bacon. L'égoutter en conservant 15 ml (1 c. à table) du gras.

Faire sauter le jambon et le poireau dans le gras du bacon jusqu'à ce que les morceaux soient tendres (5 à 10 minutes); égoutter.

Dans un bol, mélanger le fromage râpé avec la farine; réserver.

Dans un autre bol, mélanger le succédané d'œuf, la crème et le lait. Ajouter la préparation de fromage et de farine et bien mélanger. Ajouter le bacon émietté, le jambon et les poireaux. Remuer jusqu'à ce que les ingrédients soient bien mélangés. Verser la préparation dans la croûte de tarte.

Cuire environ 45 minutes, ou jusqu'à ce qu'une lame de couteau insérée au centre en ressorte propre.

Couper en pointes et servir.

Donne 8 portions

Alpha-crêpes pour le lunch

175 ml (¾ de tasse) de yogourt nature
250 ml (1 tasse) de lait
2 œufs battus
50 ml (¼ de tasse) de beurre fondu
375 ml (1½ tasse) de farine de blé entier
3 ml (¾ de c. à thé) de poudre à pâte
3 ml (¾ de c. à thé) de sel
125 ml (½ tasse) de fruits – frais, en compote ou en conserve

Dans un petit bol, combiner le yogourt, le lait, les œufs et le beurre. Bien mélanger.
Dans un grand bol, mêler ensemble les ingrédients secs.
Y ajouter la préparation à base de yogourt en remuant jusqu'à ce que la pâte soit épaisse et lisse.
Remplir de pâte une bouteille de ketchup ou de moutarde vide (et bien lavée). Couper l'embout de façon à élargir l'ouverture.
Faire chauffer une poêle à frire antiadhésive graissée à feu moyen.
Pour faire les crêpes, presser la bouteille en plastique souple en dessinant avec la pâte une lettre de l'alphabet dans la poêle.
Si la pâte est trop épaisse, ajouter un peu de lait dans la bouteille et bien agiter celle-ci.
Cuire pendant 2 minutes ou jusqu'à ce que des bulles se forment à la surface de la crêpe, puis retourner et cuire l'autre face pendant 1 à 2 minutes, ou jusqu'à ce qu'elle soit dorée.
Mettre au réfrigérateur pour faire refroidir, puis congeler dans un contenant allant au congélateur.

Miam!

Placer 2 à 3 alpha-crêpes (congelées) dans la boîte à lunch de votre enfant avec 125 ml (½ tasse) de petits fruits frais, de compote de pommes ou d'autres fruits, ou de fruits en conserve. Les crêpes devraient être décongelées à temps pour le lunch.

Donne 10 à 12 crêpes

Sandwichs classiques au poulet

250 ml (1 tasse) de poulet cuit coupé en dés
125 ml (½ tasse) de céleri tranché
50 ml (¼ de tasse) de mayonnaise
2 ml (½ c. à thé) de sel
Poivre au goût

Dans un bol, combiner le poulet avec tous les autres ingrédients; mélanger doucement.

Étaler la garniture sur des tranches de pain.

Donne 4 sandwichs

Sandwich Po-po-fro

1 petit pain empereur (Kaiser) au blé entier tranché en deux dans le sens horizontal
50 ml (¼ de tasse) de salade de poulet faite maison ou achetée à l'épicerie
3 tranches de pomme, coupées très fin
2 fines tranches de cheddar

Étaler la salade de poulet, les tranches de pomme et le cheddar sur la moitié inférieure du petit pain.

Recouvrir à l'aide de l'autre moitié.

Donne 1 sandwich

Conseil de salubrité : Placer un bloc réfrigérant dans la boîte à lunch de votre enfant.

Roulade fraîcheur

1 tortilla de farine de blé entier
8 ml (½ c. à table) de moutarde au miel
ou 8 ml (½ c. à table) de mayonnaise
2 tranches de jambon, dinde, rosbif ou poulet
125 ml (½ tasse) de fromage mozzarella râpé
50 ml (¼ de tasse) de laitue coupée en lanières
50 ml (¼ de tasse) de carotte râpée

Mettre la tortilla bien à plat.
Y étendre la moutarde ou la mayonnaise.
Disposer la viande, le fromage, la laitue et la carotte au centre de la tortilla.
Rouler la tortilla et l'emballer dans une pellicule plastique en la serrant pour que la tortilla reste bien roulée dans la boîte à lunch.

Donne 1 portion

Brochettes de pâtes froides

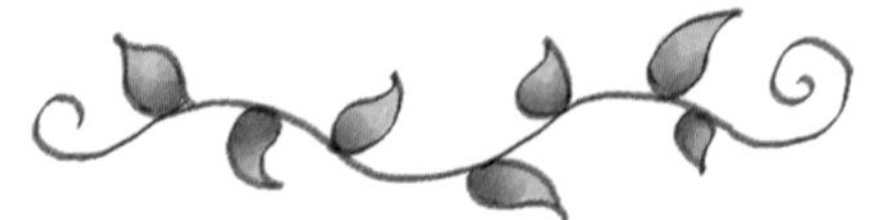

100 g (3,5 oz) de tortellinis aux épinards frais
12 tomates cerise
½ poivron rouge coupé en dés de 1,5 cm (1 po)
½ poivron vert coupé en dés de 1,5 cm (1 po)
6 olives noires ou vertes géantes, dénoyautées (facultatif)
25 ml (2 c. à table) de vinaigrette à l'italienne
60 g (2 oz) de fromage mozzarella partiellement écrémé, coupé en dés de 1,25 cm (½ po)
60 g (2 oz) de saucisse de dinde cuite, coupée en tranches de 1,25 cm (½ po)
6 brochettes en bois de 20 cm (8 po)

Dans une casserole moyenne, cuire les tortellinis dans de l'eau bouillante, selon les instructions de l'emballage. Égoutter et rincer à l'eau froide pour arrêter la cuisson.

Placer les tortellinis, les tomates, les poivrons (et les olives) dans un bol en verre peu profond. Arroser le tout de vinaigrette à l'italienne et laisser reposer 30 minutes à la température ambiante.

Ajouter le fromage mozzarella et la saucisse. Remuer doucement pour bien enrober tous les ingrédients de vinaigrette.

Enfiler sur les brochettes, en alternant, les tortellinis, les tomates cerise, les dés de poivron vert, de fromage, de poivron rouge et les morceaux de saucisse de dinde. Terminer chaque brochette par une olive. Casser l'extrémité pointue des brochettes. Garder au frais.

Donne 6 brochettes

ATTENTION :
Le bout pointu des brochettes peut être dangereux. Ne pas servir aux enfants de moins de 7 ans. Pour les enfants plus jeunes il est préférable de garder ce repas pour les dîners à la maison.

Conseil de salubrité : Placer un bloc réfrigérant dans la boîte à lunch de votre enfant.

Le navire bananier

1 pain à hot dog au blé entier
30 ml (2 c. à table) de beurre d'arachide
½ banane (coupée en deux dans le sens de la longueur) ou une petite banane entière

Ouvrir le pain à hot dog. Étaler le beurre d'arachide sur les deux faces internes du pain.
Mettre la banane dans le pain et le refermer.
Pour empêcher que la banane ne brunisse trop, emballer le sandwich dans une pellicule plastique et éviter de le mettre au réfrigérateur.

Donne 1 portion

ATTENTION :
À éviter en présence de cas d'allergie possible aux noix et aux arachides.

Croq'noix aux fraises

Aussi bon pour le goûter de l'après-midi que comme sandwich pour le lunch!

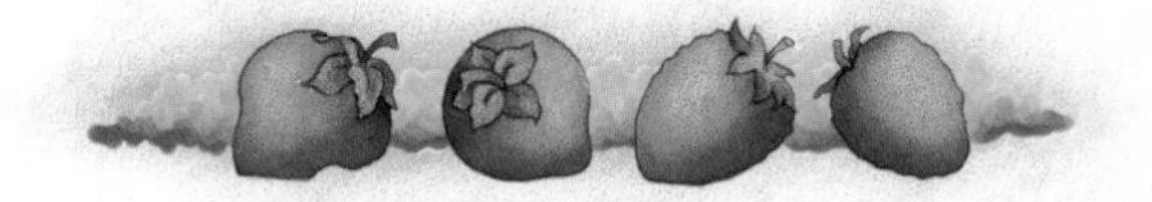

2 tranches de pain suédois
(Croustipain aux fruits de Ryvita ou tout autre pain croustillant)
15 ml (1 c. à table) de beurre de noix de cajou
2 fraises coupées en tranches

Étaler le beurre de noix de cajou sur la partie lisse de chaque tranche de croustipain.
Disposer les morceaux de fraise sur une des tranches.
Faire un sandwich en plaçant la deuxième tranche de croustipain sur les fraises.

Donne 1 portion

Crudités arc-en-ciel et trempette d'hoummos crémeuse

12 mini-carottes
½ concombre tranché
½ poivron rouge tranché
½ poivron jaune tranché
¼ de chou-fleur

Laver les légumes avec soin.
Couper le concombre en rondelles et les poivrons rouge et jaune en lamelles.
Séparer le chou-fleur en petits bouquets de la taille d'une bouchée.
Placer les crudités dans un contenant en plastique réutilisable.
Réfrigérer jusqu'à utilisation.

Trempette d'hoummos crémeuse :

250 ml (1 tasse) d'hoummos nature
125 ml (½ tasse) de fromage cottage à la crème
125 ml (½ tasse) de yogourt nature
1 ml (¼ de c. à thé) de sel
1 ml (¼ de c. à thé) de poivre
30 ml (2 c. à table) d'oignon vert ou de ciboulette émincé(e) (facultatif)

Dans le bol du mélangeur, combiner le hoummos, le fromage cottage et le yogourt nature; mêler le tout jusqu'à obtention d'un mélange lisse.
Transférer la trempette dans un bol. Ajouter le sel et le poivre, et l'oignon ou la ciboulette émincée, si désiré. Mélanger.
Recouvrir et réfrigérer pendant 2 heures, ou jusqu'à ce que le mélange soit refroidi. Servir 125 ml (½ tasse) de trempette avec 250 ml (1 tasse) de crudités.

Donne 4 portions

Hoummos

500 ml (2 tasses) de pois chiches en conserve,
rincés et égouttés
3 gousses d'ail hachées
45 ml (3 c. à table) de jus de citron
50 ml (¼ de tasse) d'eau
60 ml (4 c. à table) de graines de sésame grillées
15 ml (1 c. à table) d'huile de sésame
5 ml (1 c. à thé) de sel

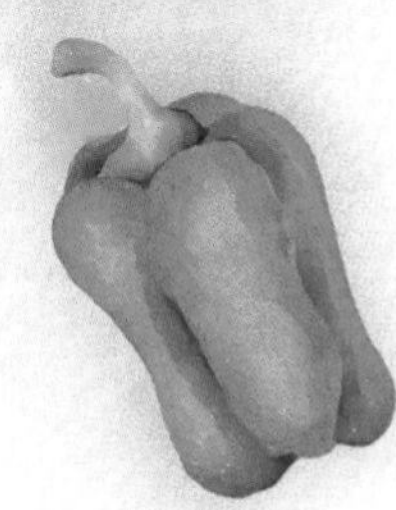

Placer les pois chiches, l'ail, le jus de citron et l'eau dans le bol d'un robot culinaire ou d'un mélangeur.

Mélanger jusqu'à ce que la préparation soit homogène, en arrêtant deux ou trois fois pour racler les parois du bol. Ajouter le reste des ingrédients et continuer à mélanger jusqu'à ce que la préparation soit bien homogène. Si le mélange est trop épais, ajouter un peu d'eau. Verser la préparation dans un bol peu profond. Refroidir jusqu'à utilisation.
Servir avec des morceaux/pointes de pain pita réchauffé ou des légumes crus fraîchement coupés.

Donne 10 portions

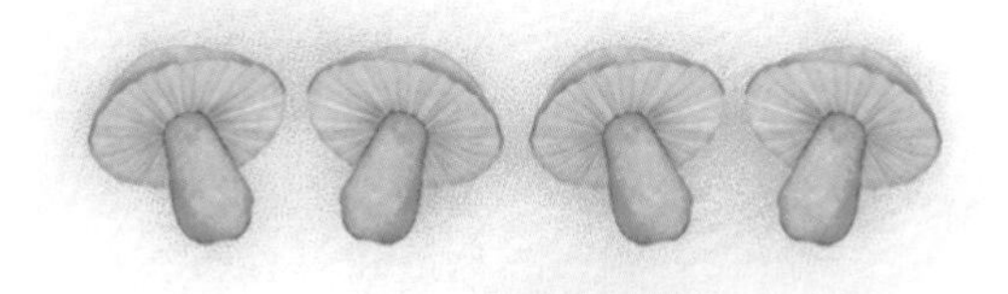

Conseil de salubrité : Placer un bloc réfrigérant dans la boîte à lunch de votre enfant.

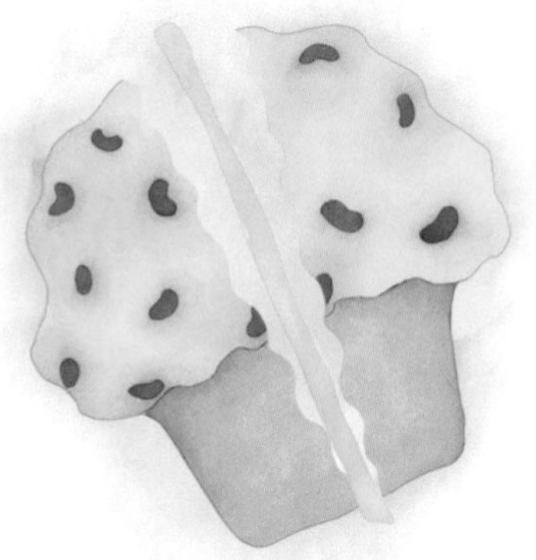

Mini Muffin farci

1 mini muffin à la pomme et aux noix (du commerce ou fait maison)
1 tranche épaisse de cheddar

Pour faire le sandwich de mini muffin, couper le mini muffin en deux dans le sens de la hauteur. Placer la tranche de cheddar au centre.

Autres suggestions de mini muffins farcis :
Mini muffin aux canneberges avec tranches de poitrine de poulet
Mini muffin à la banane et au son avec beurre de pomme
Mini muffin à la semoule de maïs avec salade de thon

Donne 1 portion

Mélange crousti-fruits

125 ml (½ tasse) de céréales croustillantes non sucrées
50 ml (¼ de tasse) d'arachides – ou autres noix – non salées
50 ml (¼ de tasse) de graines de tournesol
50 ml (¼ de tasse) de raisins secs ou autres fruits secs
50 m (¼ de tasse) de rondelles de bananes séchées
50 ml (¼ de tasse) de tranches de pommes séchées
50 ml (¼ de tasse) de mini pépites de chocolat (facultatif)

Mettre tous les ingrédients dans un contenant en plastique réutilisable; bien secouer. Diviser en portions de 50 ml (¼ de tasse) et les placer dans des petits sacs en plastique.

Donne 7 portions de 50 ml (¼ de tasse)

ATTENTION :
À éviter en présence de cas d'allergie possible aux noix et aux arachides.

Œufs diablotin

6 œufs durs, écalés
45 à 60 ml (3 à 4 c. à table) de mayonnaise légère ou de sauce pour salade
15 ml (1 c. à table) de poivron rouge doux, finement haché
15 ml (1 c. à table) d'oignon vert, finement haché
15 ml (1 c. à table) de céleri, finement haché
2 ml (une pincée) de paprika
1 ml (¼ de c. à thé) de sel
1 ml (¼ de c. à thé) de poivre noir moulu
Du paprika pour la décoration

Couper les œufs en deux dans le sens de la longueur. En retirer les jaunes et placer ceux-ci dans un petit bol.

Écraser les jaunes à l'aide d'une fourchette; ajouter la mayonnaise, le poivron rouge, l'oignon, le céleri, le paprika, le poivre et le sel; mêler jusqu'à obtention d'un mélange homogène.

Remplir la partie évidée des blancs d'œuf à l'aide de la garniture et saupoudrer légèrement de paprika.

Servir immédiatement ou placer les œufs couverts au réfrigérateur. À consommer dans les 3 jours.

Donne 6 portions

Conseil de salubrité : Placer un bloc réfrigérant dans la boîte à lunch de votre enfant.

Roulades au rosbif et au fromage

2 contenants de 250 g (1 tasse) de fromage à la crème aux légumes
4 tortillas de 25 cm (10 po)
250 ml (1 tasse) de carottes râpées
250 ml (1 tasse) de cheddar râpé
8 feuilles de laitue
450 g de rosbif en tranches très fines

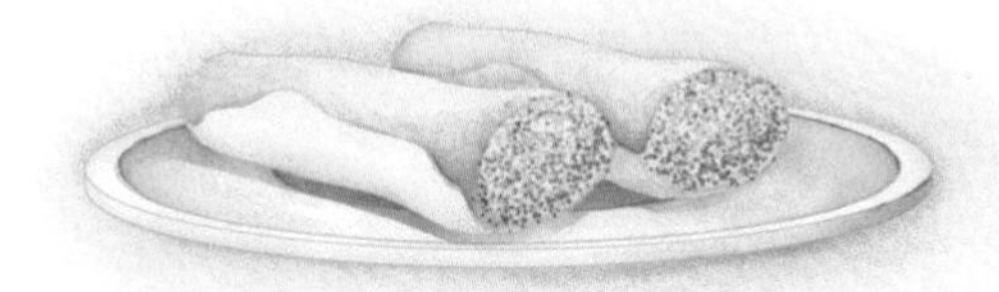

Étaler uniformément le fromage à la crème sur un côté de chaque tortilla.
Y répartir ensuite une égale quantité de carottes râpées et de cheddar râpé.
Terminer la garniture de chaque tortilla par 2 feuilles de laitue et des tranches de rosbif, en veillant à laisser libre un bon centimètre (½ po) tout autour du bord.
Rouler les tortillas serré et les emballer dans une pellicule plastique.

Donne 4 tortillas

Parfait au yogourt et aux fruits

50 ml (¼ de tasse) de yogourt nature écrémé
50 ml (¼ de tasse) de yogourt aromatisé aux fruits
30 ml (2 c. à table) de céréales au son en bâtonnets, bourgeons (de type Bran Buds) ou flocons
50 ml (¼ de tasse) de bleuets frais ou de fraises tranchées (ou tout autre fruit frais)

1 contenant en plastique de 250 ml (1 tasse) avec couvercle
1 sac en plastique de petit format avec fermeture à glissière
1 contenant de 125 ml (½ tasse) avec couvercle
1 cuillère en plastique

Mélanger les yogourts nature et aux fruits dans le contenant de 250 ml (1 tasse). Le fermer à l'aide d'un couvercle hermétique et le mettre au réfrigérateur.

Remplir le sac en plastique de céréales au son; sceller le sac.
Placer les fruits dans le deuxième contenant en plastique. Le fermer à l'aide d'un couvercle hermétique et le mettre au réfrigérateur.

Conseil de salubrité : Placer un bloc réfrigérant dans la boîte à lunch de votre enfant.

À l'école : ajouter les céréales au son et les fruits au mélange de yogourts; remuer et déguster.

Donne 1 portion

Barres tendres aux céréales

375 ml (1½ tasse) de sirop de maïs
250 ml (1 tasse) de cassonade
125 ml (½ tasse) de sucre
375 ml (1½ tasse) de beurre d'arachide
1,5 l (6 tasses) de céréales croustillantes de votre choix
50 ml (¼ de tasse) de fruits secs (raisins, canneberges, cerises ou abricots)

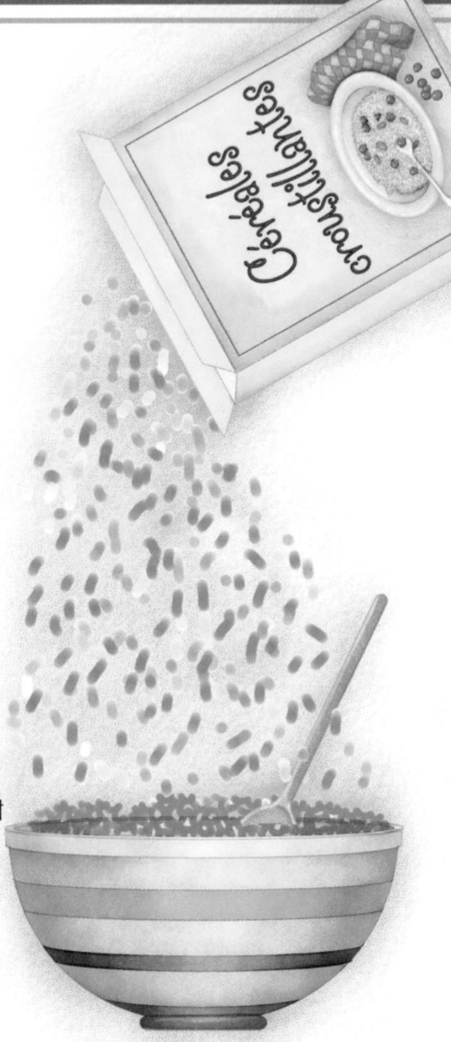

Dans un grand bol allant au four à micro-ondes, combiner le sirop de maïs, la cassonade et le sucre; bien mélanger.

Faire cuire le mélange à puissance ÉLEVÉE pendant 4 à 7 minutes jusqu'au point d'ébullition, en mélangeant à deux reprises pendant le cycle de cuisson.

Sortir le bol du four micro-ondes et y ajouter le beurre d'arachide. Mélanger jusqu'à ce que le beurre d'arachide fonde et que la préparation devienne lisse.

Ajouter les céréales, puis mélanger délicatement la préparation, jusqu'à ce que les céréales soient entièrement enrobées. Incorporer les fruits secs.

Étaler la préparation dans un plat graissé de 23 cm x 33 cm (13 po x 9 po). Presser la préparation uniformément dans le plat avec le dos d'une cuillère. Laisser refroidir et couper en barres.

Donne 24 barres

Barres bananénoix

175 ml (¾ de tasse) de cassonade
125 ml (½ tasse) de beurre ramolli
250 ml (1 tasse) de marmelade d'oranges
5 ml (1 c. à thé) de vanille
2 œufs
500 ml (2 tasses) de farine de blé entier
175 ml (¾ de tasse) de purée de bananes (approx.
2 bananes entières)
125 ml (½ tasse) de noix hachées
5 ml (1 c. à thé) de poudre à pâte
2 ml (½ c. à thé) de bicarbonate de soude
1 ml (¼ de c. à thé) de sel
75 ml (⅓ de tasse) de sucre
2 ml (½ c. à thé) de cannelle

Préchauffer le four à 180 °C (350 °F).
Graisser un moule de cuisson de 25 cm x 38 cm (15 po x 10 po) et le saupoudrer légèrement de farine.

Dans un grand bol, battre en crème la cassonade et le beurre. Ajouter la marmelade d'oranges, la vanille et les œufs, et bien mélanger.

Ajouter tout le reste des ingrédients sauf le sucre et la cannelle, et remuer jusqu'à ce que le tout soit bien mélangé.

Dans un petit bol, mélanger le sucre et la cannelle.

Étendre la pâte dans le moule et saupoudrer de sucre à la cannelle.

Faire cuire 25 à 30 minutes ou jusqu'à ce que le dessus de la préparation soit bien doré.
Laisser refroidir et couper en barres.

Donne environ 30 barres

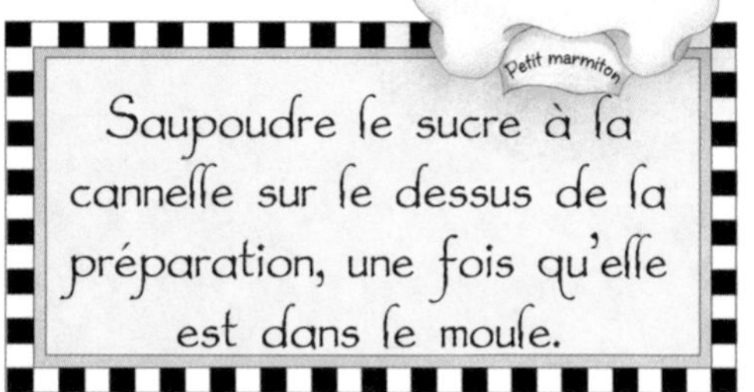

Saupoudre le sucre à la cannelle sur le dessus de la préparation, une fois qu'elle est dans le moule.

Une journée d'école bien remplie peut vraiment aiguiser l'appétit d'un enfant. Quand, à la fin de leur journée, mes deux fils franchissaient la porte de la maison en courant et se dirigeaient droit vers la cuisine, on aurait pu penser qu'ils n'avaient pas mangé depuis des jours! Et attention s'ils ne trouvaient rien à grignoter à la cuisine dans les placards lorsqu'ils étaient affamés!

Au début, maintenir une provision suffisante d'aliments « sains » pour détourner l'attention des enfants et faire qu'ils ne se jettent pas sur les bonbons et les croustilles n'était pas chose facile. Satisfaire leurs fringales devint bien plus aisé quand je me rendis compte que de délicieux muffins aux fruits, si simples à préparer, et des boissons fouettées crémeuses faisaient merveilleusement l'affaire.

Dans ce chapitre, vous trouverez des idées de collations savoureuses et copieuses qui vous permettront de régaler vos petits affamés, après l'école. Prenez plaisir à les partager avec vos enfants!

COLLATIONS DE L'APRÈS-MIDI

Pizza sur muffin anglais

1 muffin anglais au blé entier
60 ml (4 c. à table) de sauce à pizza
60 ml (4 c. à table) de fromage mozzarella partiellement écrémé, râpé
30 ml (2 c. à table) de tomate coupée en dés
30 ml (2 c. à table) de jambon cuit coupé en dés
15 ml (1 c. à table) de morceaux d'ananas

Préchauffer le four, ou le grille-pain four, en position de grillage.
Couper le muffin anglais en deux. Placer les deux moitiés sur une petite plaque à biscuits.
Étaler la sauce à pizza de façon uniforme sur les deux moitiés de muffin.
Saupoudrer de fromage mozzarella.
Répartir les tomates, le jambon et l'ananas sur le fromage.
Passer sous le gril du four jusqu'à ce que le fromage soit bien doré et que la sauce forme des bulles.
Servir immédiatement.

Donne 1 à 2 portions

Étale la sauce à pizza sur les deux moitiés de muffin et répartis le fromage mozzarella sur le dessus.

Bol de crudités

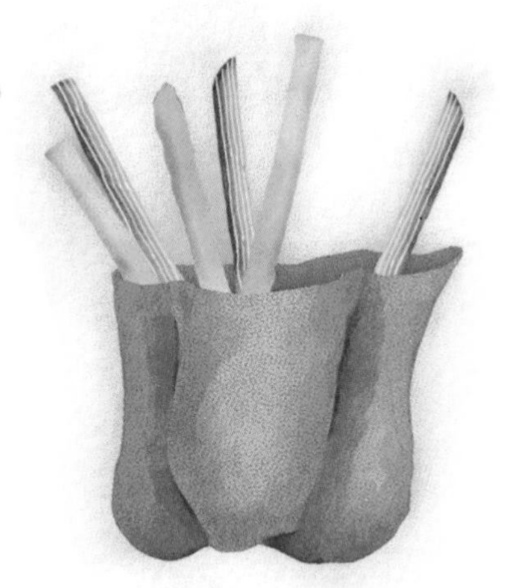

1 poivron vert, jaune ou rouge de grande taille, lavé
1 branche de céleri
1 carotte, lavée et pelée
60 ml (4 c. à table) de votre sauce pour salade préférée

Couper le poivron en deux dans le sens horizontal. Le vider de ses graines.
Couper la carotte en fins bâtonnets de 5 cm (2 po) de long environ, puis couper le céleri de la même manière.
Verser 30 ml (2 c. à table) de sauce pour salade dans le fond de chaque « bol » constitué par la moitié du poivron. Placer les bâtonnets de céleri et de carotte dans chacun des bols.
Et voilà un bol de crudités facile à transporter! On peut commencer par déguster les crudités avec un peu de sauce pour salade en guise de trempette. Ensuite, on peut manger le bol!

Donne 2 portions

Délices au fromage

450 g (1 lb) de monterey aux piments Jalapeño, râpé
450 g (1 lb) de cheddar râpé
1 boîte de lait évaporé grand format
125 ml (½ tasse) de farine tout-usage
2 œufs

Préchauffer le four à 180 °C (350 °F).
Répartir les fromages dans un plat allant au four de 23 cm x 33 cm (13 po x 9 po).
Dans un petit bol, mélanger le lait évaporé, la farine et les œufs.
Verser la préparation sur le mélange de fromage.
Cuire au four 40 minutes.
Couper en carrés pour servir.

Donne 20 à 24 carrés.

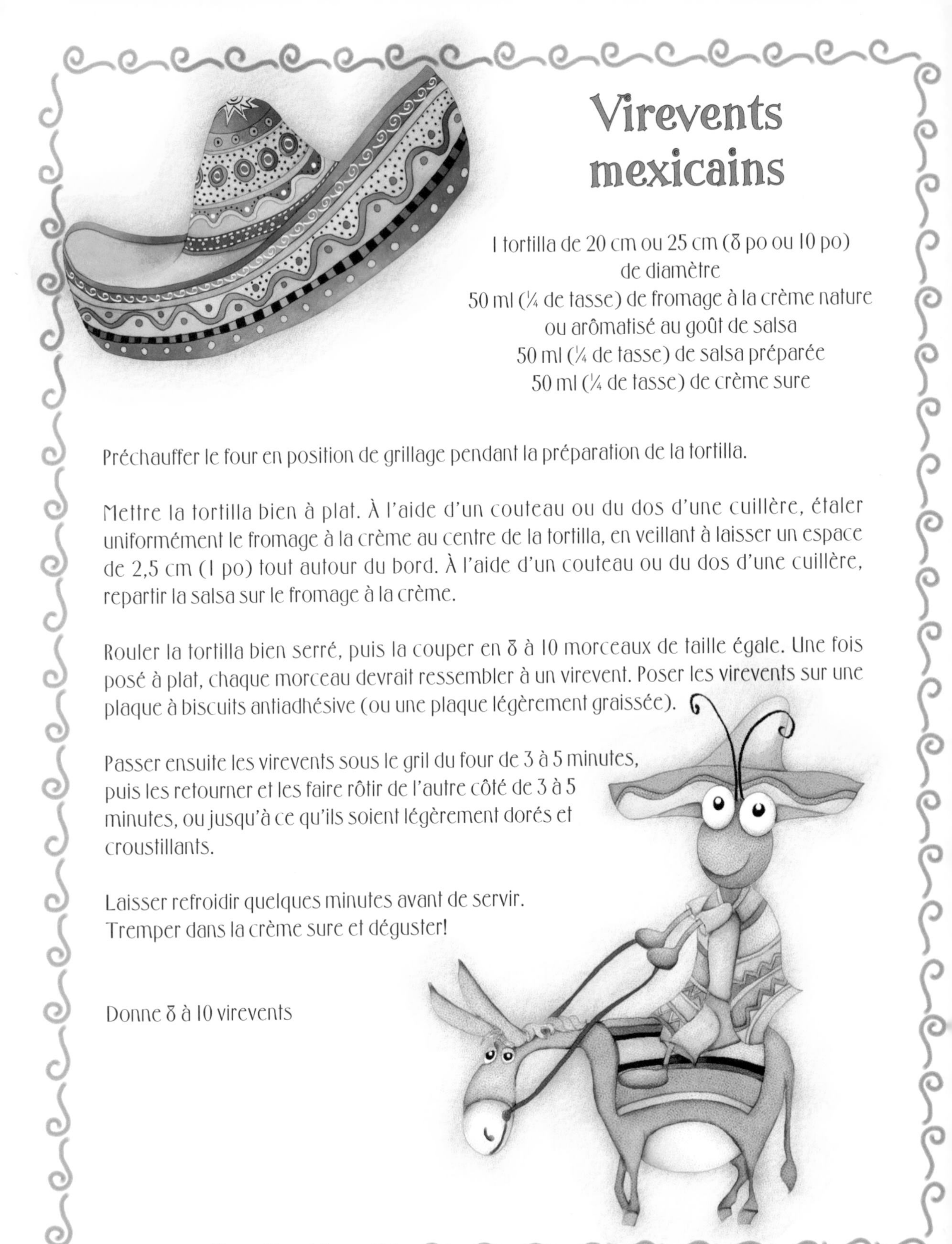

Virevents mexicains

1 tortilla de 20 cm ou 25 cm (8 po ou 10 po) de diamètre
50 ml (¼ de tasse) de fromage à la crème nature ou arômatisé au goût de salsa
50 ml (¼ de tasse) de salsa préparée
50 ml (¼ de tasse) de crème sure

Préchauffer le four en position de grillage pendant la préparation de la tortilla.

Mettre la tortilla bien à plat. À l'aide d'un couteau ou du dos d'une cuillère, étaler uniformément le fromage à la crème au centre de la tortilla, en veillant à laisser un espace de 2,5 cm (1 po) tout autour du bord. À l'aide d'un couteau ou du dos d'une cuillère, repartir la salsa sur le fromage à la crème.

Rouler la tortilla bien serré, puis la couper en 8 à 10 morceaux de taille égale. Une fois posé à plat, chaque morceau devrait ressembler à un virevent. Poser les virevents sur une plaque à biscuits antiadhésive (ou une plaque légèrement graissée).

Passer ensuite les virevents sous le gril du four de 3 à 5 minutes, puis les retourner et les faire rôtir de l'autre côté de 3 à 5 minutes, ou jusqu'à ce qu'ils soient légèrement dorés et croustillants.

Laisser refroidir quelques minutes avant de servir.
Tremper dans la crème sure et déguster!

Donne 8 à 10 virevents

Pêches à la crème

30 à 40 ml (2 c. à table combles) de son d'avoine
125 ml (½ tasse) de pêches tranchées au sirop léger, en conserve
125 ml (½ tasse) de yogourt à la vanille ou à la pêche
1 ml (¼ de c. à thé) de cannelle

Préchauffer le four en position de grillage.

Saupoudrer uniformément le son d'avoine sur une plaque à biscuits antiadhésive. Placer le tout sous le gril du four pendant quelques minutes. Surveillez attentivement la cuisson. Une fois le son d'avoine légèrement grillé, le sortir du four et le laisser tiédir.

Disposer les tranches de pêches pour couvrir le fond d'un bol. Former une deuxième couche en étalant le yogourt sur les pêches. Recouvrir avec le son d'avoine. Saupoudrer de cannelle.

Servir immédiatement ou couvrir et réfrigérer jusqu´à utilisation.

Donne 1 portion

Pain aux bananes

500 ml (2 tasses) de sucre
250 ml (1 tasse) de beurre
4 œufs
500 ml (2 tasses) de purée de bananes bien mûres
10 ml (2 c. à thé) de vanille
875 ml (3½ tasses) de farine tout-usage
500 ml (2 tasses) de pacanes hachées
10 ml (2 c. à thé) de bicarbonate de soude dissous
dans 125 ml (½ tasse) de babeurre

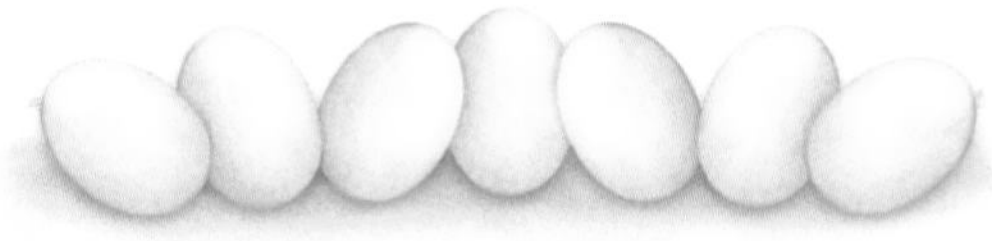

Préchauffer le four à 160 °C (325 °F).

Dans un grand bol, battre en crème le beurre et le sucre; ajouter les œufs et bien fouetter. Ajouter la purée de banane et la vanille, puis la farine, les pacanes et le babeurre contenant le bicarbonate de soude dissous.

Répartir la pâte dans 3 moules à pain et cuire au four 1½ heure.

Donne 3 pains

Note : *Une banane bien mûre est plus digeste et sucrée et se réduit bien en purée. Cuite, elle requirent moins de sucre et son goût est encore meilleur.*

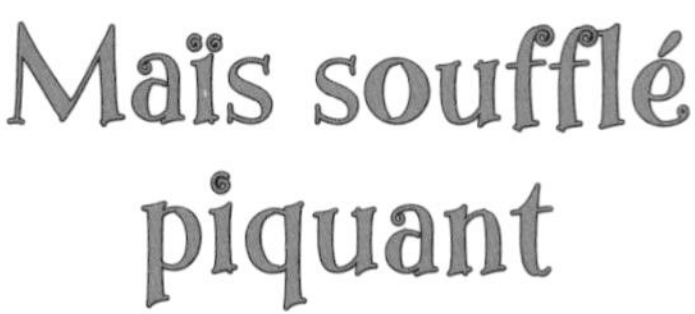

Maïs soufflé piquant

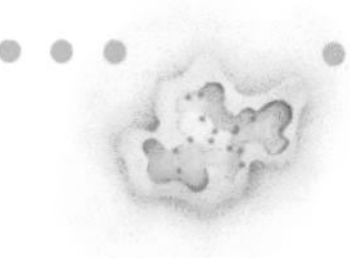

750 ml (3 tasses) de maïs soufflé
Enduit végétal aromatisé au beurre
5 ml (1 c. à thé) d'assaisonnement à base de poudre de chili
1 ml (¼ de c. à thé) de poivre de Cayenne (facultatif- attention : piquant!)

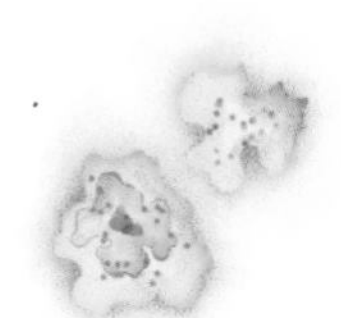

Préchauffer le four à 150 °C (300 °F).
Placer le maïs soufflé dans un grand bol à mélanger.
Enduire légèrement le pop-corn à l'aide de l'enduit végétal aromatisé au beurre. Secouer et recommencer l'opération.
Combiner la poudre de chili et le poivre de cayenne.
Saupoudrer les épices sur le maïs soufflé et secouer le bol pour en envelopper les grains de façon uniforme.
Répartir le maïs soufflé dans un grand plat allant au four. Cuire 10 minutes en remuant une fois.

Donne 3 tasses

Luge de fourmis

1 branche de céleri
45 ml (3 c. à table) de fromage à la crème
15 ml (1 c. à table) de raisins de Corinthe

Laver la branche de céleri et la couper en 3 morceaux égaux. Bien farcir les morceaux, d'un bout à l'autre, avec le fromage à la crème.
Rincer les raisins, puis les mettre dans une casserole avec de l'eau et amener au point d'ébullition. Égoutter les raisins et les laisser tiédir.

Déposer environ 8 raisins secs sur le fromage et les y enfoncer légèrement.

Donne 1 portion

Barres aux pacanes de Grand-mère

300 ml (1¼ tasse) de farine tout-usage, non tamisée
250 ml (1 tasse) de sucre de confiserie
75 ml (⅓ de tasse) de poudre de cacao non sucré
250 ml (1 tasse) de margarine froide ou de beurre
300 ml (10 oz) de lait concentré sucré Eagle Brand (et NON de lait évaporé)
1 œuf
10 ml (2 c. à thé) d'extrait de vanille
250 ml (1 tasse) de pacanes hachées

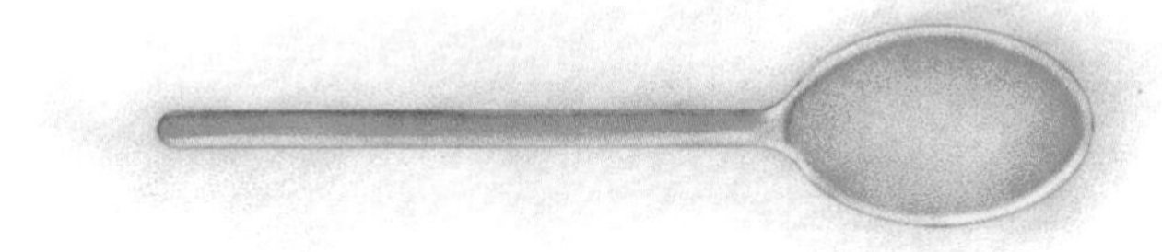

Préchauffer le four à 180 °C (350 °F), ou 160 °C (325 °F) dans le cas d'un plat en verre.

Dans un grand bol, combiner la farine, le sucre et la poudre de cacao; y couper la margarine en morceaux et travailler jusqu'à ce que le mélange soit friable.

Presser fermement la pâte obtenue dans le fond d'un plat de cuisson de 23 cm x 33 cm (13 po x 9 po). Cuire 15 minutes.

Dans un bol moyen, combiner le lait concentré sucré, l'œuf et la vanille. Bien mélanger. Ajouter les pacanes hachées.

Étaler uniformément la préparation sur la croûte. Cuire au four 25 minutes, ou jusqu'à ce que la préparation soit légèrement dorée.

Laisser refroidir et couper en barres. Conserver au réfrigérateur dans un contenant avec couvercle.

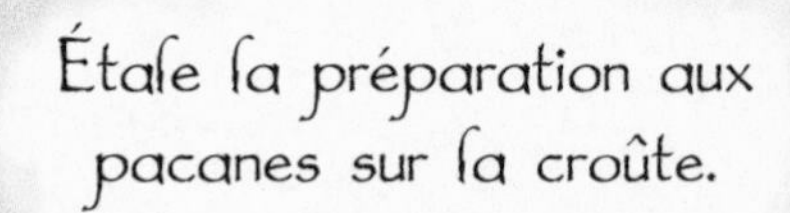

Donne 24 à 36 barres

Barres « givrées » aux raisins secs

250 ml (1 tasse) de raisins secs
250 ml (1 tasse) d'eau
125 ml (½ tasse) d'huile végétale
1 œuf
250 ml (1 tasse) de sucre
425 ml (1¾ tasse) de farine tout-usage
5 ml (1 c. à thé) de piment de la Jamaïque (quatre-épices)
5 ml (1 c. à thé) de bicarbonate de soude
2 ml (½ c. à thé) de sel
5 ml (1 c. à thé) de cannelle
1 ml (¼ de c. à thé) de clou de girofle moulu
125 ml (½ tasse) de noix hachées

Préchauffer le four à 180 °C (350 °F).
Mettre les raisins et l'eau dans une casserole et amener au point d'ébullition. Égoutter les raisins et les laisser tiédir.
Dans un grand bol, mélanger l'huile végétale, l'œuf et le sucre.
Dans un autre bol, tamiser ensemble la farine, le piment de la Jamaïque, le sel, le bicarbonate de soude, la cannelle et le clou de girofle moulu.
Combiner avec la préparation à base de sucre. Ajouter les raisins et les noix.
Verser la pâte dans une lèchefrite de 38 cm X 25 cm (15 po X 10 po)et cuire au four 20 à 25 minutes.

Pour le glaçage :
250 ml (1 tasse) de sucre en poudre
15 ml (1 c. à table) de beurre
2 ml (½ c. à thé) de vanille
30 ml (2 c. à table) de lait

Dans un petit bol, mêler tous les ingrédients jusqu'à ce que le mélange soit lisse. Étaler la préparation sur le gâteau encore chaud et le couper en barres.

Donne 20 à 24 barres

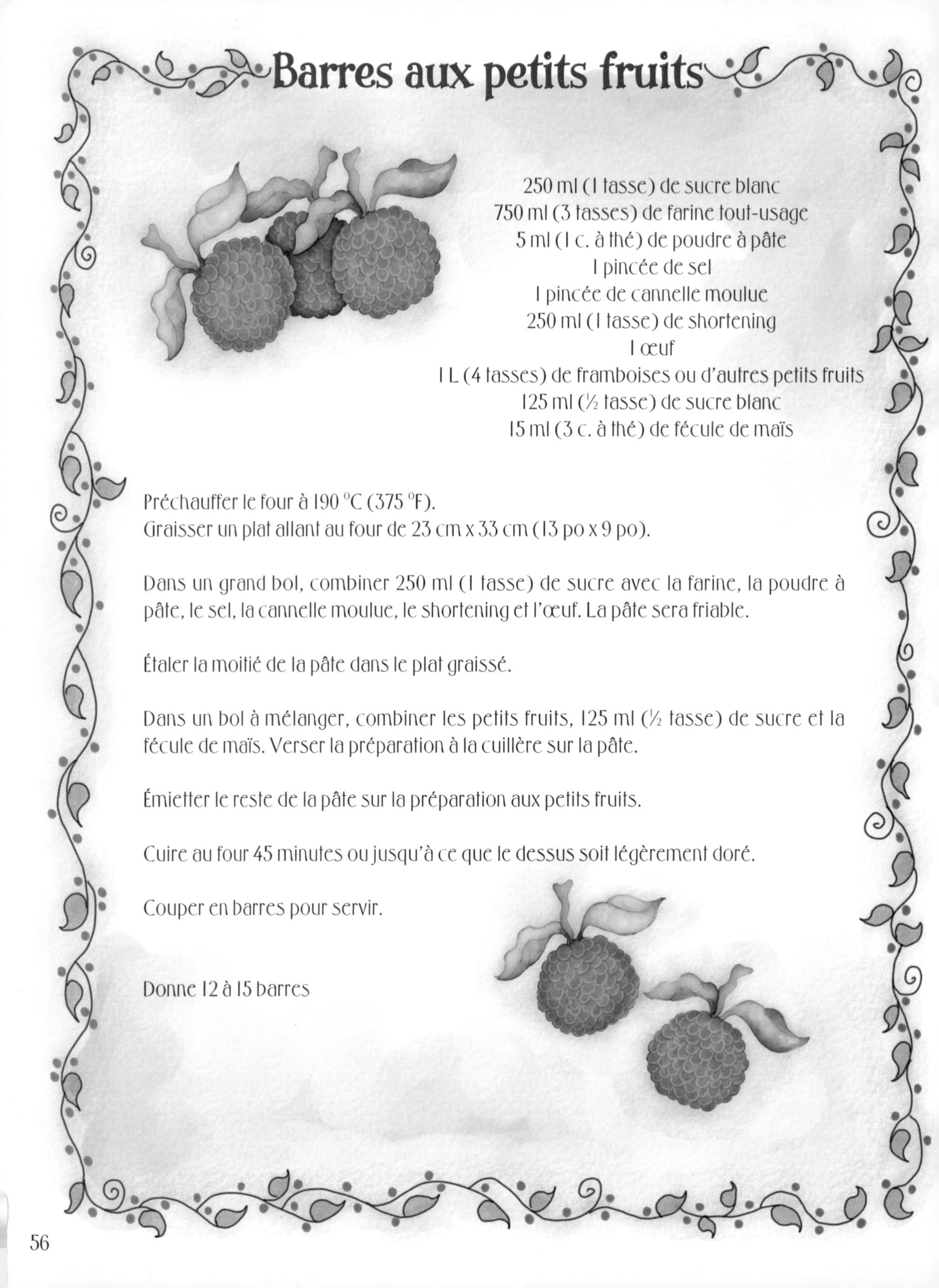

Barres aux petits fruits

250 ml (1 tasse) de sucre blanc
750 ml (3 tasses) de farine tout-usage
5 ml (1 c. à thé) de poudre à pâte
1 pincée de sel
1 pincée de cannelle moulue
250 ml (1 tasse) de shortening
1 œuf
1 L (4 tasses) de framboises ou d'autres petits fruits
125 ml (½ tasse) de sucre blanc
15 ml (3 c. à thé) de fécule de maïs

Préchauffer le four à 190 °C (375 °F).
Graisser un plat allant au four de 23 cm x 33 cm (13 po x 9 po).

Dans un grand bol, combiner 250 ml (1 tasse) de sucre avec la farine, la poudre à pâte, le sel, la cannelle moulue, le shortening et l'œuf. La pâte sera friable.

Étaler la moitié de la pâte dans le plat graissé.

Dans un bol à mélanger, combiner les petits fruits, 125 ml (½ tasse) de sucre et la fécule de maïs. Verser la préparation à la cuillère sur la pâte.

Émietter le reste de la pâte sur la préparation aux petits fruits.

Cuire au four 45 minutes ou jusqu'à ce que le dessus soit légèrement doré.

Couper en barres pour servir.

Donne 12 à 15 barres

Fournée de muffins aux bleuets et céréales

1,25 L (5 tasses) de farine d'épeautre
1,375 L (5½ tasses) de céréales 100 % son
500 ml (2 tasses) de cassonade, bien tassée
250 ml (1 tasse) de bleuets congelés
15 ml (1 c. à table) de bicarbonate de soude
5 ml (1 c. à thé) de cannelle moulue
1 L (4 tasses) de babeurre
250 ml (1 tasse) d'huile végétale
4 œufs

Préchauffer le four à 190 °C (375 °F). Préparer 2 plaques de 12 moules à muffins en graissant les cavités ou en les tapissant de moules en papier.

Dans un grand bol, combiner la farine, les céréales, la cassonade, les bleuets, le bicarbonate de soude et la cannelle.

Dans un autre bol, mélanger le babeurre, l'huile et les œufs. Incorporer cette préparation aux ingrédients secs et remuer pour humecter ceux-ci.

Déposer la pâte à la cuillère dans les moules à muffins, en les remplissant aux trois quarts.

Cuire au four 25 à 30 minutes, ou jusqu'à ce que le dessus soit légèrement doré. Laisser tiédir les muffins dans les moules pendant 5 minutes, puis les démouler. Les mettre à refroidir sur une grille avant de servir.
Conserver dans un contenant (métallique de préférence) hermétique légèrement ouvert et laisser reposer ; les congeler si désiré.

Donne 24 muffins

Muffins aux fruits et au yogourt

500 ml (2 tasses) de farine tout-usage
250 ml (1 tasse) de sucre
5 ml (1 c. à thé) de bicarbonate de soude
5 ml (1 c. à thé) de poudre à pâte
250 ml (1 tasse) de yogourt à la vanille
1 œuf
60 ml (4 c. à table) de beurre fondu
500 ml (2 tasses) de bleuets ou de canneberges

Préchauffer le four à 180 °C (350 °F).
Graisser les cavités de 12 moules à muffins ou les tapisser de moules en papier.

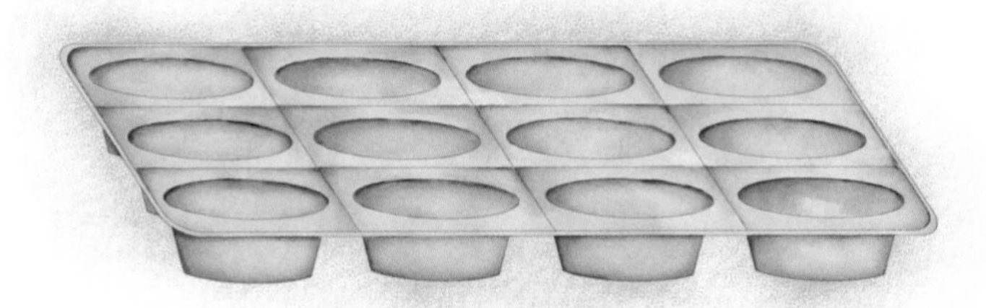

Dans un grand bol à mélanger, combiner la farine, le sucre, le bicarbonate de soude et la poudre à pâte.

Dans un autre bol, mélanger le yogourt, l'œuf, le beurre et les petits fruits.

Incorporer la préparation à base de yogourt à la préparation à base de farine, en remuant simplement jusqu'à obtention d'un mélange homogène.

Déposer la pâte à la cuillère dans les moules à muffins.
Cuire au four 25 minutes.

Donne 12 muffins

Biscuits à l'avoine et aux pommes

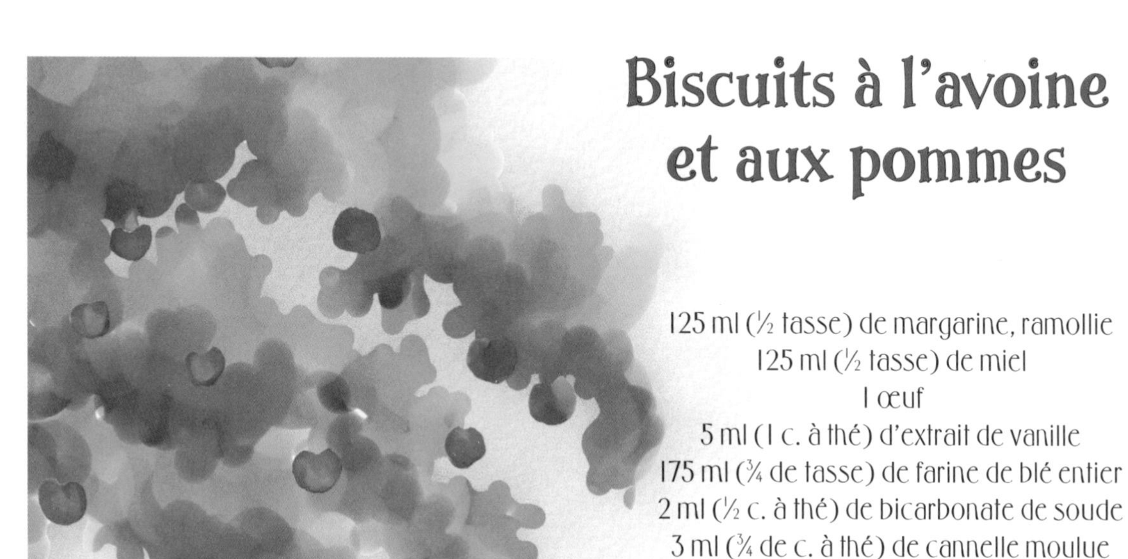

125 ml (½ tasse) de margarine, ramollie
125 ml (½ tasse) de miel
1 œuf
5 ml (1 c. à thé) d'extrait de vanille
175 ml (¾ de tasse) de farine de blé entier
2 ml (½ c. à thé) de bicarbonate de soude
3 ml (¾ de c. à thé) de cannelle moulue
375 ml (1½ tasse) de gruau à cuisson instantanée
1 pomme épluchée et coupée en morceaux

Préchauffer le four à 190 °C (375 °F). Graisser des plaques à biscuits.

Dans un grand bol, battre en crème la margarine, le miel, l'œuf et la vanille jusqu'à obtention d'un mélange lisse.

Dans un autre bol, combiner la farine de blé entier, le bicarbonate de soude et la cannelle; incorporer au mélange en crème. Incorporer le gruau et la pomme.

Déposer la pâte par 5 ml (1 c. à thé comble) à la fois sur les plaques à biscuits graissées à 5 cm (2 po) de distance chacune.

Cuire au four 8 à 10 minutes.

Laisser les biscuits tiédir sur les plaques 5 minutes avant de les mettre à refroidir sur une grille.

Donne 4 douzaines de biscuits

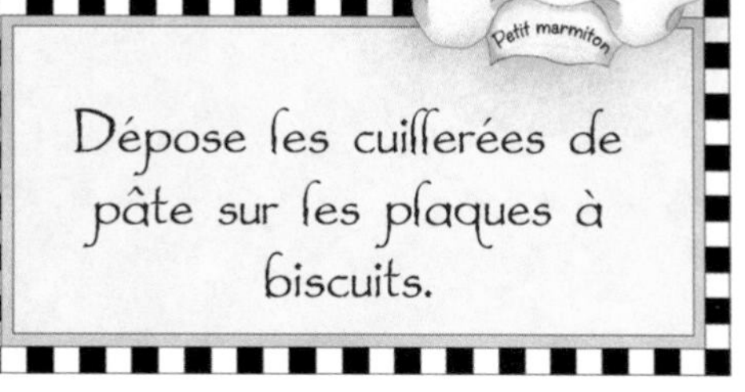

Biscuits aux raisins dorés et aux noix

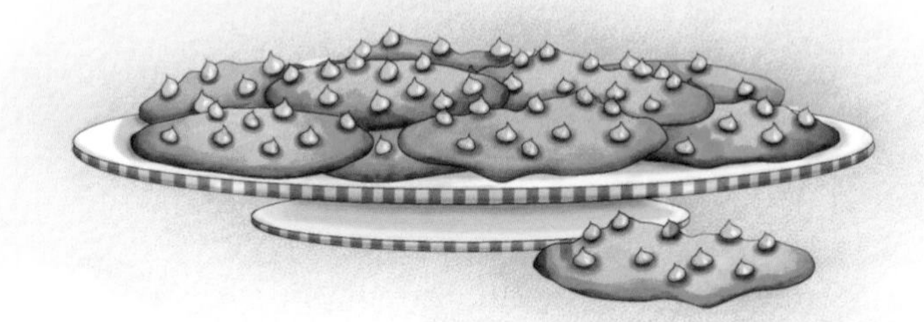

250 ml (1 tasse) de beurre, ramolli
250 ml (1 tasse) de cassonade dorée
250 ml (1 tasse) de sucre blanc
2 œufs
5 ml (1 c. à thé) d'extrait de vanille
275 ml (1⅛ tasse) de farine tout-usage
5 ml (1 c. à thé) de bicarbonate de soude
5 ml (1 c. à thé) de poudre à pâte
1 pincée de sel
750 ml (3 tasses) de flocons d'avoine
125 ml (½ tasse) de germe de blé
300 ml (1¼ tasse) de raisins secs dorés
325 ml (1⅓ tasse) de noix de Grenoble hachées

Préchauffer le four à 180 °C (350 °F). Graisser des plaques à biscuits.

Dans un grand bol, travailler ensemble le beurre, la cassonade dorée et le sucre blanc en crème légère et mousseuse. Y incorporer les œufs un à un, en battant bien après chaque addition, puis ajouter la vanille.

Dans un autre bol, combiner la farine, le bicarbonate de soude, la poudre à pâte et le sel; incorporer les ingrédients secs graduellement dans le mélange en crème.

Ajouter ensuite les flocons d'avoine, le germe de blé, les raisins secs et les noix.
Déposer la pâte par cuillerées combles sur les plaques à biscuits préparées.
Se mouiller les mains et aplatir légèrement les biscuits - qui devraient avoir une épaisseur de 1,8 cm (¾ po) environ, et un diamètre d'un peu plus de 6 cm (environ 2½ po) avant la cuisson.

Cuire au four 15 à 20 minutes. Laisser les biscuits tiédir sur les plaques à biscuits pendant 5 minutes avant de les mettre à refroidir sur une grille.

Donne 2 douzaines de biscuits

Goûter des cow-boys

500 ml (2 tasses) de farine tout-usage
2 ml (½ c. à thé) de poudre à pâte
5 ml (1 c. à thé) de bicarbonate de soude
2 ml (½ c. à thé) de sel
125 ml (½ tasse) de margarine
125 ml (½ tasse) d'huile végétale
250 ml (1 tasse) de cassonade, bien tassée
250 ml (1 tasse) de sucre blanc
2 œufs
500 ml (2 tasses) de gruau à cuisson instantanée
250 ml (1 tasse) de pépites de caramel écossais
125 ml (½ tasse) de noix hachées (facultatif)

Préchauffer le four à 180 °C (350 °F).

Dans un bol à mélanger, tamiser la farine, la poudre à pâte, le bicarbonate de soude et le sel; réserver.

Dans un grand bol, battre en crème la margarine, l'huile, la cassonade et le sucre blanc jusqu'à obtention d'un mélange lisse. Incorporer les œufs un à la fois en battant bien. Ajouter graduellement la préparation d'ingrédients tamisés, jusqu'à ce que le tout soit bien mélangé. Incorporer l'avoine, les pépites de caramel écossais et les noix.

Verser par cuillerée sur des plaques à biscuits non graissées.

Cuire au four 10 à 12 minutes, ou jusqu'à ce que les biscuits soient légèrement dorés.

Laisser les biscuits tiédir sur les plaques pendant quelques minutes avant de les mettre à refroidir sur une grille.

Donne 3 douzaines de biscuits

Muffins anglais garnis de fruits

4 moitiés de muffins anglais
250 ml (1 tasse) de yogourt à la vanille
175 ml (¾ de tasse) de fraises fraîches tranchées
175 ml (¾ de tasse) d'ananas broyé, égoutté

Faire légèrement griller les moitiés de muffins anglais dans le grille-pain.

Étaler une couche de yogourt sur chaque moitié de muffin.

Recouvrir chaque moitié de fraises et d'ananas.

Servir rapidement, alors que les muffins sont encore chauds.

Donne 4 portions

Lait fruité frappé

150 ml (⅔ de tasse) de lait
50 ml (¼ de tasse) de fraises tranchées
2 ml (½ c. à thé) d'extrait de cerise
2 ml (½ c. à thé) d'extrait d'orange
125 ml (½ tasse) de sucre
6 glaçons, broyés

Mettre tous les ingrédients, sauf les glaçons, dans le bol du mélangeur. Mêler le tout à puissance moyenne pendant 2 minutes ou jusqu'à ce que les fraises soient transformées en purée.

Ajouter les glaçons broyés; mélanger à puissance moyenne pendant 2 minutes supplémentaires. Servir dans un grand verre.

Donne 1 portion

Boisson fouettée à l'orange et aux petits fruits

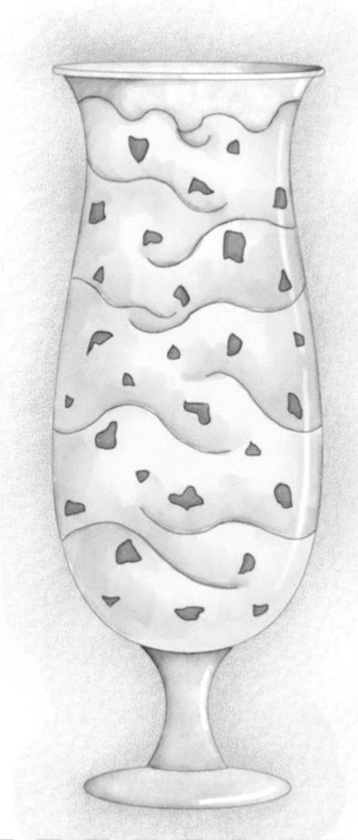

375 ml (1½ tasse) de yogourt léger à la vanille
750 ml (3 tasses) de framboises (ou de fraises) fraîches ou congelées
30 ml (2 c. à table) de miel
250 ml (1 tasse) de jus d'orange (ou de pommes, ou d'autres fruits)

Mettre le yogourt, les petits fruits, le miel et le jus de fruits dans le bol du mélangeur. Mêler le tout jusqu'à obtention d'une préparation homogène. Verser dans des verres et servir accompagnée d'un biscuit.

Donne 4 portions

Le voisinage de la maison de mon enfance grouillait d'enfants de tous les âges. Après l'école, une fois les devoirs et les répétitions musicales terminés, les jardins avant de notre rue se remplissaient de gamins prêts à dépenser leur surplus d'énergie. Nous passions de jardin en jardin, nous pourchassant les uns les autres, jouant à la cachette, inventant des pièces pour notre théâtre de quartier improvisé, en nous laissant embarquer dans une myriade d'autres activités que nos imaginations fertiles pouvaient inventer.
Les jeux ralentissaient progressivement au fur et à mesure que les arômes de cuisson s'échappaient de la fenêtre ouverte des cuisines et se répandaient dans la rue. Chaque enfant gardait une oreille tendue de façon à entendre la voix de sa mère dès le premier appel pour le souper. Nos jeux nous ouvraient toujours un fameux appétit!

Un de mes soupers préférés était le pain de viande. Plus tard, ce mets devint le plat du soir préféré de mon fils cadet. Jamais je n'ai dû l'appeler deux fois à table ces soirs-là!

SUPER SOUPERS

Délices de poulet à l'abricot

6 poitrines de poulet, désossées et sans peau
30 ml (2 c.à table) d'huile d'olive
50 ml (¼ tasse) ou le jus d'un demi-citron
Une pincée de sel
125 ml (½ tasse) d'eau
75 ml (⅓ tasse) de confiture d'abricot, de préférence utiliser la gelée des fruits.

Préchauffer le four à 180 °C (350 °F)
Placer les poitrines dans un plat allant au four, muni d'un couvercle.
Mélanger ensemble l'huile et le jus de citron, puis badigeonner les poitrines. Saler.
Couvrir et faire cuire 30 minutes.
Mélanger l'eau et la confiture d'abricot. Dix minutes avant la fin, découvrir et arroser les poitrines avec le jus d'abricot. Remettre au feu, laisser le plat sans couvercle pour compléter la cuisson.

Donne 6 portions

Poulet au citron

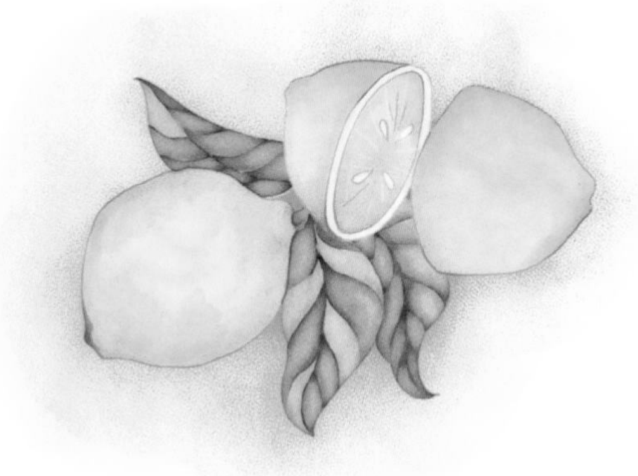

4 poitrines de poulet
15 ml (1 c. à table) d'huile d'olive
5 ml (1 c. à thé) de beurre
45 ml (3 c. à table) de jus de citron
250 ml (1 tasse) d'eau
45 ml (3 c. à table) de sauce Worcestershire

Dans une grande poêle, faire revenir les poitrines de poulet dans l'huile d'olive chaude et le beurre fondu à son point d'écume.
Ajouter le jus de citron, l'eau et la sauce Worcestershire.
Laisser mijoter pendant 1 heure.
Servir avec du riz.

Donne 4 portions

Casserole de croustilles au poulet

625 ml (2½ tasses) de poulet cuit, coupé en dés
325 ml (1⅓ tasse) de bouillon de poulet
1 boîte de crème de poulet
1 boîte de crème de champignons
125 ml (½ tasse) de piments verts hachés
125 ml (½ tasse) de piments rouges hachés
1 sac de 350 g (12 oz) de croustilles au maïs, légèrement écrasées
450 g (1 lb) de cheddar râpé

Dans un grand bol, mêler tous les ingrédients, sauf les croustilles au maïs et le cheddar.

Graisser un plat allant au four de 23 cm x 33 cm (13 po x 9 po). Mesurer 250 ml (1 tasse) de croustilles de maïs et les répandre en couche sur le fond du plat. Alterner ensuite :

La moitié du mélange au poulet
150 g (⅓ de la quantité totale) de fromage

Répéter les couches selon le même ordre. Finir par une couche de croustilles au maïs et le fromage.

Réfrigérer 1 heure au moins.

Préchauffer le four à 180 °C (350 °F), puis faire cuire 45 minutes.

Donne 6 à 8 portions

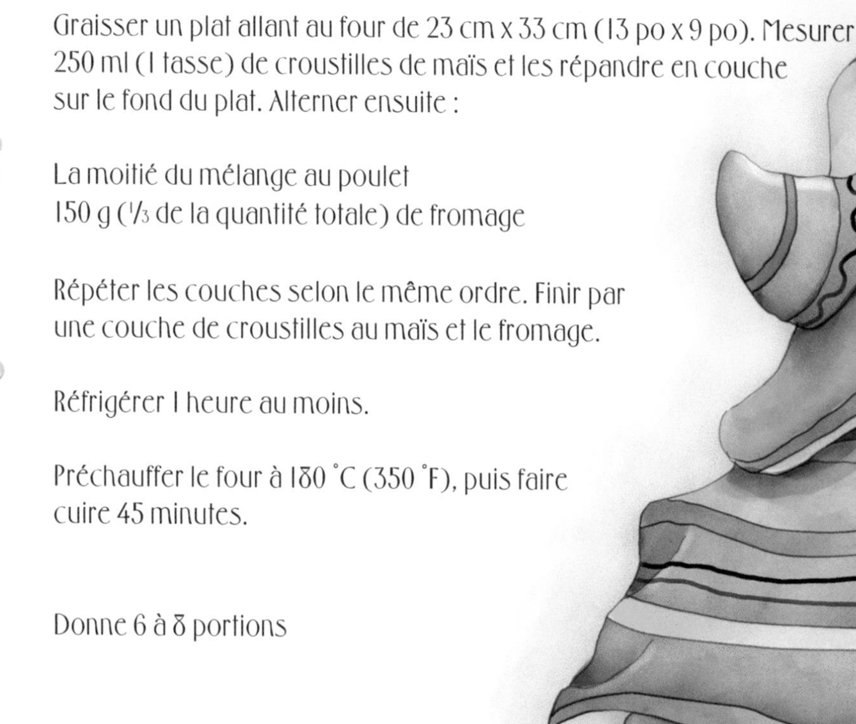

Poulet rizgolo

1 poulet à frire découpé en morceaux
250 ml (1 tasse) de riz blanc longs grains
1 sachet de mélange pour soupe à l'oignon
1 boîte de crème de poulet
1½ boîte de conserve d'eau
1 boîte de 125 ml (4 oz) de champignons tranchés en conserve
5 ml (1 c. à thé) de sel
2 ml (½ c. à thé) de poivre

Préchauffer le four à 180 °C (350 °F).

Combiner tous les ingrédients, sauf le poulet, et étaler le mélange dans un plat de verre de 23 cm x 33 cm (13 po x 9 po) muni d'un couvercle. Disposer les morceaux de poulet sur le dessus de la préparation.

Couvrir et cuire au four 1 heure.

Soulever le couvercle avec précaution et mélanger. Faire cuire à découvert 30 minutes de plus.

Donne 4 à 6 portions

Poulet express en sauce

15 ml (1 c. à table) d'huile végétale pour la friture
1 petit oignon, haché
1 poulet à frire, bouilli et désossé
1 petite boîte de lait évaporé
1 boîte de crème de poulet ou de crème de céleri
15 ml (1 c. à table) de sauce Worcestershire
1 sachet de mélange à vinaigrette pour salade aux fines herbes
30 ml (2 c. à table) de beurre fondu

Préchauffer le four à 200 °C (400 °F).

Dans une poêle, faire revenir l'oignon dans 15 ml (1 c. à table) d'huile; ajouter les morceaux de poulet, le lait, la soupe et la sauce Worcestershire; Réchauffer les ingrédients jusqu'à ce qu'ils soient tout à fait chauds.

Dans un grand bol, mêler la sauce pour salade, le bouillon et le beurre fondu.

Dans un plat de verre, alterner les couches de préparation à base de poulet avec la sauce. Finir par la sauce.

Cuire au four 20 à 30 minutes.

Donne 4 portions

Mon pain de viande préféré

Pain de viande :
675 g (1½ lb) de viande de bœuf hachée
1 œuf
1 tranche de pain, en petits morceaux
5 ml (1 c. à thé) d'ail en poudre
125 ml (4 oz) de sauce tomate

Sauce pour le nappage :
45 ml (3 c. à table) de cassonade
30 ml (2 c. à table) de moutarde
30 ml (2 c. à table) de sauce Worcestershire
250 ml (8 oz) de sauce tomate

Préchauffer le four à 180 °C (350 °F).

Dans un grand bol, mêler tous les ingrédients destinés au pain de viande et former un pain. Le placer dans un moule à pain peu profond ou dans un plat de verre.

Dans un deuxième bol, combiner tous les ingrédients pour la préparation de la sauce et, une fois prête, en napper le pain de viande.

Cuire au four pendant 1½ heure à découvert.

Donne 6 portions

Pâté chinois

4 pommes de terre moyennes
5 ml (1 c. à thé) d'huile
½ oignon haché fin
450 g (1 lb.) de viande de bœuf hachée
Sel et poivre au goût
30 ml à 45 ml (2 à 3 c. à table) de lait
30 ml (2 c. à table) de beurre
280 ml (9½ oz) de maïs en crème ou en grains

Faire bouillir une petite quantité d'eau salée dans une casserole moyenne pour la cuisson des pommes de terre. Peler les pommes de terre, puis les rincer et les couper en quartiers. Les plonger dans l'eau bouillante salée et les faire cuire jusqu'à ce qu'elles soient tendres.

Pendant ce temps, peler et hacher l'oignon. Cuire les oignons dans un peu d'huile, puis ajouter la viande. Faire cuire la viande jusqu'à ce qu'elle ne soit plus rosée et retirer l'excédent de gras. Saler et poivrer au goût.

Mettre la viande dans un plat allant au four.
Étendre le maïs en crème ou en grains sur la viande.

Préchauffer le four à 180 °C (350 °F).

Bien égoutter les pommes de terre et les écraser à l'aide d'un pilon.
Ajouter le lait, le beurre, le sel et le poivre, puis bien battre pour faire une purée.

Couvrir la viande hachée et le maïs avec la purée de pommes de terre en se servant d'une spatule de caoutchouc.

Cuire au four 25 minutes environ, ou jusqu'à ce que le dessus de la préparation soit doré.

Donne 6 portions

Papillotes de viande et de légumes

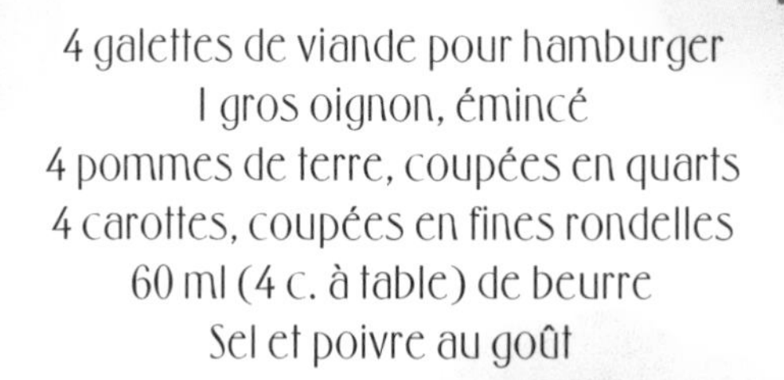

4 galettes de viande pour hamburger
1 gros oignon, émincé
4 pommes de terre, coupées en quarts
4 carottes, coupées en fines rondelles
60 ml (4 c. à table) de beurre
Sel et poivre au goût

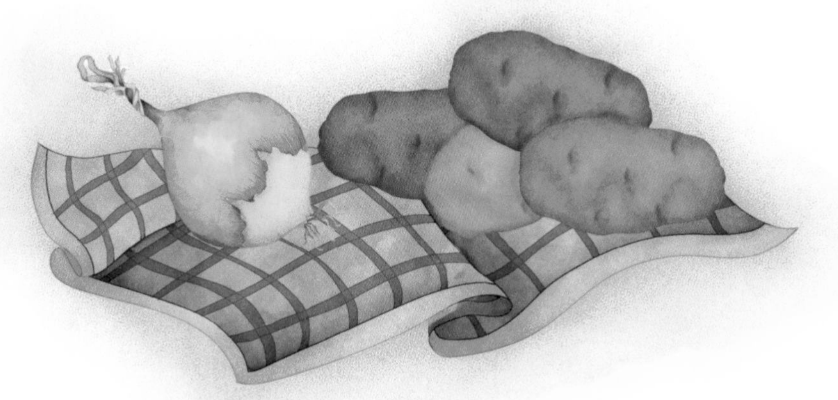

Préchauffer le four à 190 °C (375 °F).
Découper 4 morceaux de papier d'aluminium suffisamment grands pour emballer chacunes des galettes de viande et de légumes.
Disposer une galette sur chaque feuille de papier d'aluminium et ajouter une tranche d'oignon.
Puis, placer une pomme de terre coupée en quart sur chaque tranche d'oignon, et ajouter les rondelles de carotte.
Finir par 15 ml (1 c. à table) de beurre. Assaisonner.
Replier la feuille de papier d'aluminium autour de la viande et des légumes, en la fermant sur le haut.
Cuire au four pendant 1½ heure.
Servir immédiatement.

Donne 4 portions

Bifteck Strogonoff

450 g (1 lb) de bifteck de ronde, coupé en fines lamelles
125 g (½ tasse) d'oignon haché
15 ml (1 c. à table) d'huile d'olive
15 ml (1 c. à table) de farine tout-usage
2 ml (½ c. à thé) de sel
1 ml (¼ de c. à thé) d'ail en poudre
1 boîte de concentré de crème de champignons
250 ml (1 tasse) de crème sure
1 paquet de 375 ml (12 oz) de nouilles aux œufs, larges

Dans une grande poêle, à feu moyen, faire revenir la viande et les oignons pendant 10 minutes, ou jusqu'à ce que la viande soit dorée et les oignons tendres.

Ajouter la farine, le sel et l'ail en poudre et remuer. Ajouter le concentré de crème de champignons; bien mélanger et laisser cuire à découvert pendant 20 minutes.

Réduire le feu et ajouter la crème sure.
Bien remuer et continuer à chauffer jusqu'à ce que la préparation soit tout à fait chaude.

Pendant que la préparation à la viande mijote, faire cuire les nouilles aux œufs selon les instructions de l'emballage; égoutter.

Transférer les nouilles dans un plat de service et les napper de sauce à la viande.

Servir immédiatement.

Donne 7 portions

Ragoût de porc aux haricots noirs

675 g (1½ lb) de porc, coupé en cubes de 2,5 cm (1 po)
125 g (½ tasse) de farine tout-usage
2 ml (½ c. à thé) de sel
1 ml (¼ de c. à thé) de poivre noir moulu
30 ml (2 c. à table) d'huile d'olive
375 ml (1½ tasse) d'oignons, hachés
225 g (½ lb) de saucisse de porc
1 boîte de bouillon de poulet concentré
3 grosses gousses d'ail, hachées
10 ml (2 c. à thé) de persil frais haché
2 ml (½ c. à thé) d'origan séché
1 à 2 boîtes de 540 ml (17 oz) de haricots noirs, égouttés et rincés, en conserve
250 ml (1 tasse) de grains de maïs congelé
1 gros poivron rouge, coupé en dés
2 tomates italiennes, coupées en dés
15 ml (1 c. à table) de jus de citron
Quelques dés de tomates et des oignons verts pour la décoration (facultatif)

Placer les cubes de porc dans un sachet en plastique (sachet pour congélation) ou en papier avec la farine, le sel et le poivre; remuer pour que les cubes soient uniformément enrobés.

Faire chauffer l'huile d'olive dans une grande poêle. Ajouter les cubes de porc et les faire dorer de tous les côtés. Les transférer dans une mijoteuse électrique.

Faire revenir les oignons et la saucisse de porc dans la poêle jusqu'à ce que le tout soit doré; les ajouter dans la mijoteuse.

Ajouter le bouillon de poulet et l'ail. Faire cuire à feu ÉLEVÉ de 4½ heures à 6 heures.
Près d'une heure avant la fin de la cuisson, ajouter le persil, l'origan, les haricots noirs, les grains de maïs, le poivron rouge, les tomates olivettes et le jus de citron.
Servir avec du pain de maïs et garnir de dés de tomates et d'oignons verts.

Donne 6 à 8 portions

Côtelettes de porc farcies à la pomme

15 ml (1 c. à table) d'oignon haché
50 ml (¼ de tasse) de beurre ou de margarine
500 ml (2 tasses) de pommes hachées
50 ml (¼ de tasse) de céleri haché
10 ml (2 c. à thé) de persil frais haché
1 ml (¼ de c. à thé) de sel
6 côtelettes de porc de 2 cm
(1 po) d'épaisseur environ
Sel et poivre au goût
15 ml (1 c. à table) d'huile végétale

Préchauffer le four à 180 °C (350 °F).

Dans une grande poêle, faire revenir l'oignon dans le beurre jusqu'à ce qu'il soit tendre; retirer du feu. Ajouter les pommes hachées, le céleri, le persil et le sel; bien mélanger.

Faire une profonde entaille sur le côté de chaque côtelette; assaisonner de sel et poivre à l'intérieur et à l'extérieur. Remplir chaque entaille de préparation à base de pomme.

Dans une grande poêle, faire chauffer l'huile végétale à feu moyen-élevé et faire dorer les côtelettes de chaque côté. Les placer ensuite dans un plat allant au four non graissé de 23 cm x 33 cm (9 po x 13 po).

Recouvrir le plat de papier d'aluminium et faire cuire 30 minutes au four. Retirer le papier d'aluminium et continuer la cuisson 30 minutes de plus, ou jusqu'à ce que le jus de cuisson soit clair.

Donne 6 portions

Gratin de thon au fromage

7 pommes de terre cuites et pilées en purée
2 boîte de 170 ml (9¼ oz) de thon en conserve, égoutté
250 ml (1 tasse) de cheddar râpé
125 ml (½ tasse) de céleri haché
45 ml (3 c. à table) d'oignon haché
125 ml (½ tasse) de lait
300 g (10 oz) de petits pois surgelés
1 boîte de crème de champignon

Préchauffer le four à 190 °C (375 °F).

Dans un plat de verre de 2 litres allant au four, émietter le thon. L'étaler uniformément au fond du plat.

Dans une casserole, combiner le céleri, l'oignon, le lait, les petits pois et la soupe; laisser mijoter pendant quelques minutes. Verser la préparation à base de soupe sur le thon et le fromage.

Couvrir avec les pommes de terre en purée.

Saupoudrer de fromage rapé.

Cuire au four 30 à 40 minutes.

Donne 4 à 6 portions

Poisson-frites

450 g (1 lb) de filets de poisson maigre
15 ml (1 c. à table) de jus de citron frais
3 pommes de terre à cuire
Eau glacée
375 ml (1½ tasse) de farine
2 ml (½ c. à thé) de poudre à pâte
2 ml (½ c. à thé) de sel
2 œufs, battus
250 ml (1 tasse) de bière
Huile pour la friture

Préchauffer le four à 300 °C (300 °F)

Couper le poisson en morceaux moyens (il faut compter deux morceaux de poisson par personne); les arroser de jus de citron.

Peler les pommes de terre et les couper en tranches, puis en bâtonnets.
Placer les bâtonnets de pommes de terre dans un bol d'eau glacée et les laisser tremper 5 minutes; les égoutter et les laisser sécher sur du papier essuie-tout.

Dans un bol, mélanger 250 ml (1 tasse) de farine, la poudre à pâte, le sel, les œufs et la bière. Remuer jusqu'à ce que la pâte soit lisse et crémeuse.

Recouvrir les filets de poisson en les trempant dans le reste de la farine et les plonger dans la pâte, en veillant à ce que chaque filet soit bien enrobé.

Plonger ensuite les filets dans la friteuse et les laisser cuire jusqu'à ce que la pâte soit dorée et croustillante. Bien égoutter les filets sur un essuie-tout. Les conserver au chaud dans un four préchauffé à 150 °C (300 °F).

Plonger ensuite les pommes de terre dans la friteuse et les laisser cuire jusqu'à ce qu'elles soient bien dorées. Les retirer, les égoutter et les servir avec les beignets de poisson.

Donne 4 à 6 portions

Gratin de spaghettis au fromage

15 ml (1 c. à table) d'huile d'olive
675 g (1½ lb) de viande de bœuf maigre, hachée
750 ml (3 tasses) de sauce tomate
1,125 l (4½ tasses) d'eau
3 sachets de préparation pour sauce spaghettis
3 ml (¾ de c. à thé) de sel
675 g (1½ lb) de spaghettis
50 ml (¼ de tasse) de beurre
75 ml (⅓ de tasse) de farine tout-usage
7 ml (1½ c. à thé) de sel
500 ml (2 tasses) de lait condensé non sucré
250 ml (1 tasse) d'eau
500 ml (2 tasses) de cheddar américain, râpé
75 ml (⅓ de tasse) de parmesan, râpé

Dans l'huile d'olive chaude, faire dorer la viande dans une grande casserole; retirer l'excédent de gras. Ajouter la sauce tomate, 1,125 l (4½ tasses) d'eau, la préparation pour sauce spaghettis et les 3 ml (¾ de c. à thé) de sel. Laisser mijoter à découvert pendant 30 minutes, en remuant fréquemment. Casser les spaghettis en trois. Les cuire selon les instructions de l'emballage, puis les rincer. Égoutter et garder au chaud.

Préchauffer le four à 180 °C (350 °F).

Faire fondre le beurre dans la casserole; ajouter la farine et 7 ml (1½ c. à thé) de sel. Sur un feu moyen, verser progressivement le lait condensé et l'eau dans la casserole en remuant jusqu'à ce que le mélange épaississe. Ajouter ensuite 375 ml (1½ tasse) de cheddar américain râpé et le parmesan râpé. Mélanger jusqu'à ce que les fromages soient fondus.

Diviser les pâtes, la sauce tomate et le fromage en deux portions égales.

Dans deux plats de verre de 33 cm x 23 cm x 5 cm (13 po x 9 po x 2 po) allant au four, alterner les couches d'ingrédients dans l'ordre suivant : des spaghettis, la moitié de la sauce tomate, la sauce au fromage, le reste des spaghettis et l'autre moitié de sauce tomate. Parsemer la préparation avec le reste du cheddar américain râpé.

Cuire au four 15 à 25 minutes, ou jusqu'à ce que la sauce forme des bulles. Servir immédiatement.

Donne 12 portions

Lasagnes de la « Mama »

1 boîte de 375 g (12 oz) de lasagnes
15 ml (1 c. à table) d'huile d'olive
4 gousses d'ail, hachées
1 petit oignon, coupé en dés
675 g (1½ livre) de viande de bœuf hachée
750 ml (3 tasses) de sauce tomate en conserve
Origan au goût
500 ml (2 tasses) de fromage ricotta
2 œufs
50 ml (¼ de tasse) de lait
250 ml (1 tasse) de fromage mozzarella râpé
175 ml (¾ de tasse) de parmesan râpé

Cuire les lasagnes selon les instructions de l'emballage; les égoutter et les rincer.

Préchauffer le four à 190 °C (375 °F).

Dans une poêle, chauffer l'huile d'olive et faire revenir l'ail et les oignons pendant environ 5 minutes. Ajouter la viande hachée; faire dorer, puis retirer l'excédent de gras.

Dans une grande casserole, combiner la préparation à base de viande, la sauce tomate et l'origan; laisser mijoter 15 à 20 minutes.

Dans un bol moyen, mélanger le fromage ricotta, les œufs et le lait.

Dans un plat de cuisson beurré de 33 cm x 23 cm (13 po x 9 po), alterner les couches dans l'ordre et les proportions suivantes : ⅓ de lasagne, ⅓ de sauce à la viande, ⅓ de préparation à base de fromage ricotta, du fromage mozzarella et du parmesan. Répéter les couches 2 fois.

Cuire au four, couvert, pendant 30 minutes. Découvrir et cuire 1 minute de plus. Laisser reposer 8 à 10 minutes avant de servir.

Donne 8 à 10 portions

Chili Billy

900 g (2 lb) de viande à hamburger
1 gros oignon, haché
1 gousse d'ail, hachée ou
0,5 ml (1/8 de c. à thé) d'ail en poudre
7 ml (1½ c. à thé) de cumin
10 ml (2 c. à thé) d'assaisonnement au chili
750 ml (3 tasses) de jus de tomate
250 ml (1 tasse) d'eau
1 boîte de 540 g (16 oz) de haricots rouges
en conserve
Sel au goût

Dans un faitout, faire revenir la viande avec l'oignon et l'ail.
Ajouter le reste des ingrédients, à l'exception des haricots rouges, et faire cuire pendant 1½ heure.
Ajouter alors les haricots et faire cuire 30 minutes de plus.

Donne 4 portions

Hamburger dans un champ de petits pois

450 g (1 lb) de viande de bœuf hachée
1 paquet de mélange pour sauce à l'oignon
1 ml (¼ de c. à thé) de sel d'ail
375 ml (1½ tasse) d'eau
75 ml (1/3 de tasse) de riz, non cuit
1 emballage de 300 g (10 oz) de petits
pois surgelés, décongelés
1 oignon émincé
Sauce de soja (facultatif)

Dans une poêle à frire, faire revenir dans un peu d'huile la viande hachée; retirer l'excédent de gras.
Ajouter le mélange pour sauce à l'oignon, le sel d'ail, l'eau et le riz non cuit. Amener à ébullition.
Réduire le feu au minimum, couvrir et laisser mijoter pendant 15 minutes.
Ajouter les petits pois décongelés. Laisser mijoter jusqu'à ce que le riz soit tendre. Ajouter les oignons.
Servir avec de la sauce de soja, au goût.

Donne 4 à 6 portions

Super macaronis au fromage

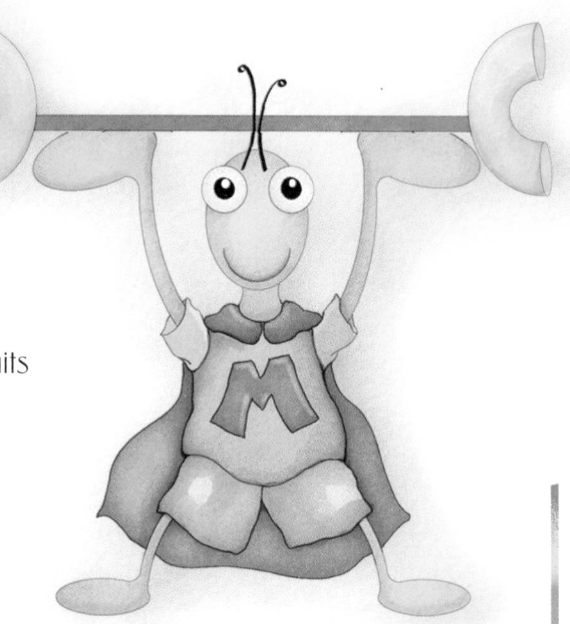

250 ml (1 tasse) de coudes (macaronis), non cuits
2 œufs, battus
250 ml (1 tasse) de lait
250 ml (1 tasse) de fromage cottage
300 ml (1¼ tasse) de cheddar fort, râpé
2 ml (½ c. à thé) de sel
1 ml (¼ de c. de à thé) de poivre noir
1 ml (¼ de c. de à thé) d'huile végétale
15 ml (1 c. à table) de chapelure

Préchauffer le four à 180 °C (350 °F).

Dans une grande casserole, cuire les coudes selon les instructions de l'emballage, sans saler l'eau de cuisson; égoutter.

Combiner les coudes avec les 6 ingrédients suivants de la liste.

Verser la préparation à la cuillère dans un plat de cuisson d'un litre enduit d'huile végétale.

Saupoudrer de chapelure.

Faire cuire au four 1 heure.

Donne 6 portions

Saupoudre la chapelure sur le dessus de la préparation.

Spaghetti sauce bolognaise

30 ml (2 c. à table) d'huile d'olive
125 ml (½ tasse) d'oignon, haché
2 gousses d'ail, hachées
125 ml (½ tasse) de céleri, haché
2 carottes moyennes, finement hachées
450 g (1 lb) de viande de bœuf ou de porc
hachée, ou 225 g (½ lb) de chaque
2 ml (½ c. à thé) de sucre blanc
5 ml (1 c. à thé) de sel
180 g (6 oz) de champignons frais, hachés
1 boîte de 540 g (17 oz) de tomates en conserve
1 boîte de 156 g (5 oz) de pâte de tomate
1 boîte de 284 ml (9 oz) de bouillon de bœuf
10 ml (2 c. à thé) de basilic séché
5 ml (1 c. à thé) d'origan séché
450 g (1 lb) de spaghettis
3 ml (½ c. à thé) d'huile d'olive
15 ml (1 c. à table) de sel
50 ml (¼ de tasse) de persil frais haché (facultatif)
Du parmesan

Faire chauffer l'huile à feu moyen-doux dans une grande poêle; faire revenir les oignons, l'ail, le céleri et les carottes jusqu'à ce que les oignons soient transparents.
Ajouter la viande et la faire dorer pendant 5 minutes (ou jusqu'à ce qu'elle ait perdu sa couleur rosée à l'intérieur), en la séparant à l'aide d'une cuillère en bois.
Ajouter le sucre, le sel et les champignons; baisser le feu et laisser cuire pendant 3 minutes.
Ajouter les tomates, le concentré de tomate, le bouillon, le basilic et l'origan; laisser mijoter à feu doux pendant environ 2 heures, en remuant de temps en temps.
Pendant ce temps, cuire les spaghettis dans une grande casserole d'eau bouillante à laquelle vous avez ajouté un peu d'huile et que vous avez légèrement salée. Laissez cuire jusqu'à ce que les pâtes soient al dente. Bien égoutter.
Au moment de moment de servir, verser la sauce bolognaise sur les pâtes; saupoudrer de parmesan et garnir de persil.

Donne 6 portions

Enchiladas Olé, Olé!

450 g (1 lb) de viande de bœuf maigre, hachée
500 ml (2 tasses) de haricots frais, coupés
2 ml (½ c. à thé) d'huile d'olive
1 douzaine de tortillas de maïs
250 ml (1 tasse) d'oignon, haché
1 grand sachet de fromage râpé (style monterey)
2 boîtes moyennes de sauce chili en conserve

Préchauffer le four à 180 °C (350 °F).

Dans une poêle, faire revenir la viande hachée; retirer l'excédent de gras et réserver.

Dans une casserole, faire sauter les haricots dans l'huile d'olive chaude.

Étaler les haricots frits sur les tortillas. Recouvrir de viande et d'oignon haché; saupoudrer de fromage.

Plier les tortillas et les déposer dans un plat de cuisson de forme ovale.
Verser la sauce chili sur les tortillas et saupoudrer d'une nouvelle couche de fromage.

Cuire au four jusqu'à ce que le fromage fonde et le dessus des enchiladas soit bien doré.

Donne 6 à 8 portions

Ragoût de l'amitié

125 ml (½ tasse) d'oignon, haché
75 ml (⅓ de tasse) de poivron, haché
45 ml (3 c. à table) de margarine
10 ml (2 c. à table) de farine tout-usage
400 ml (1⅔ de tasse) de lait
150 ml (⅔ de tasse) d'eau
2 boîtes de « fèves au lard » en conserve
1 boîte de sauce tomate en conserve
6 ml (1¼ c. à thé) de sel aux épices
3 saucisses de Francfort, coupées en morceaux

Dans une grande casserole, faire revenir l'oignon et le poivron dans la margarine jusqu'à ce qu'ils soient tendres. Ajouter la farine et remuer. Ajouter graduellement le lait, tout en remuant; Ajouter le reste des ingrédients. Bien mélanger. Réchauffer à feu doux pendant 20 minutes en remuant fréquemment.
Servir immédiatement.

Donne 6 à 8 portions

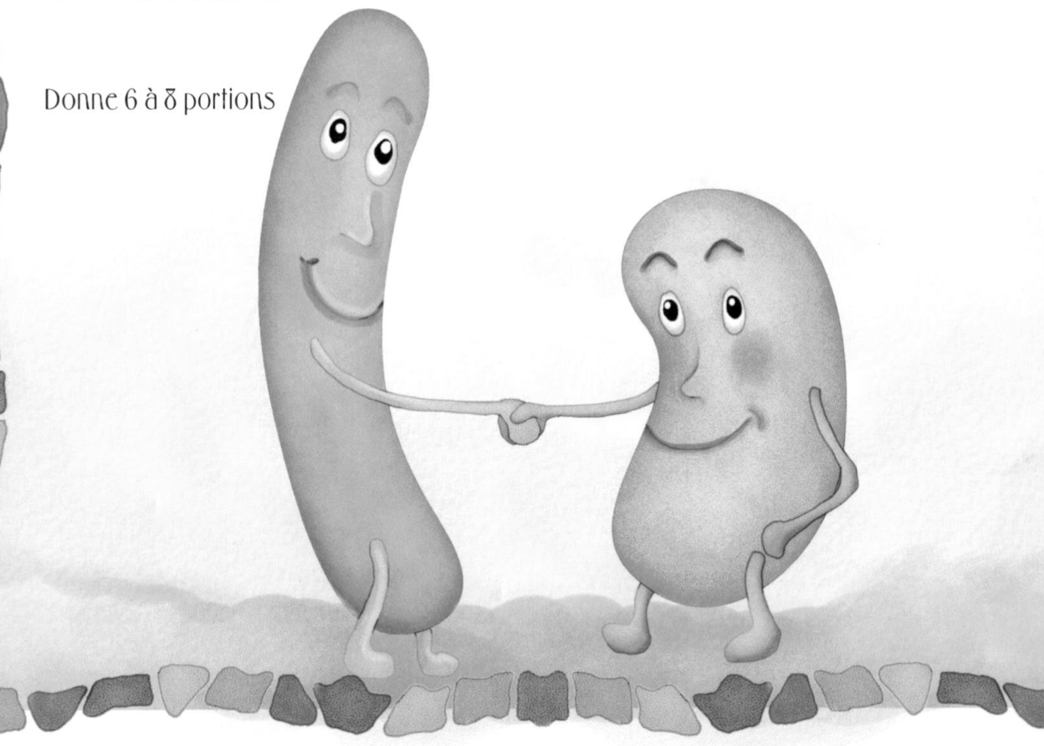

Plat de pommes de terre rissolées

125 ml (½ tasse) d'oignon, finement haché
50 ml (¼ de tasse) de céleri, finement haché
23 ml (1½ c. à table) de beurre
1 boîte de 284 ml (9 oz) de crème de céleri en conserve
75 ml (⅓ de tasse) de lait
90 g (3 oz) de fromage à la crème
1 L (4 tasses) de pommes de terre à rissoler congelées (non compactes)
125 ml (½ tasse) de cheddar fort, râpé

Préchauffer le four à 180 °C (350 °F).

Dans une casserole, faire revenir les oignons et le céleri à feu doux dans le beurre jusqu'à ce qu'ils soient tendres; les retirer de la casserole et réserver.

Verser la crème de céleri et le lait dans la casserole. Y ajouter le fromage à la crème. Cuire à feu moyen-doux, en remuant, jusqu'à ce que le mélange soit homogène.

Dans un grand bol, combiner les pommes de terre avec les oignons et le céleri. Ajouter la préparation à base de crème de céleri.

Verser dans un plat de cuisson de 25 cm x 18 cm x 4 cm (10 po x 7 po x 1½ po). Couvrir de papier d'aluminium et cuire au four 1¼ heure, ou jusqu'à ce que les pommes de terre soient tendres.

Retirer le papier d'aluminium avec précaution et recouvrir de fromage râpé. Remettre au four pour faire fondre le fromage.

Donne 6 portions

Petit marmiton

Dans un grand bol, mélange les pommes de terre avec les oignons et le céleri sautés.

Gratin de pommes de terre

7 pommes de terre moyennes, pelées et coupées en quatre
90 ml (6 c. à table) de beurre non salé
Sel et poivre fraîchement moulu, au goût
1 ml (¼ de c. à thé) d'ail en poudre
Environ 125 ml (½ tasse) de crème 15%
125 ml (½ tasse) de parmesan ou de romano
125 ml (½ tasse) de chapelure fine

Cuire les pommes de terre dans de l'eau bouillante jusqu'à ce qu'elles soient tendres. Les égoutter et bien les sécher.

Préchauffer le four à 200 °C (400 °F).

Écraser les pommes de terre en purée. Ajouter le beurre, le sel, le poivre et l'ail en poudre; bien mélanger.

Ajouter la crème progressivement, tout en mélangeant, jusqu'à obtention de la consistance désirée. La préparation ne devrait pas être trop liquide.

Verser les pommes de terre dans un plat de cuisson beurré, peu profond.

Les saupoudrer uniformément de fromage et de chapelure.

Cuire au four jusqu'à ce que la préparation soit bien chaude et dorée sur le dessus.

Donne 4 portions

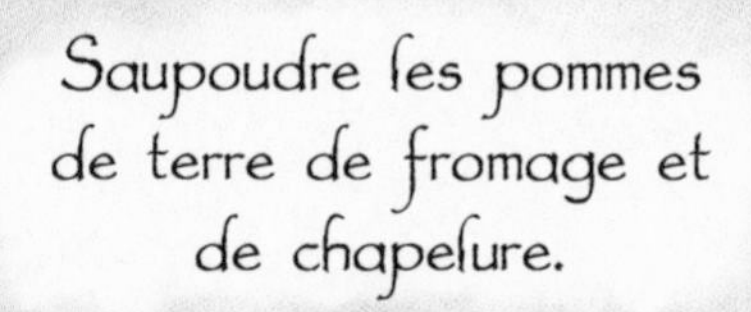

Haricots frits façon sud-ouest

2 boîtes de 540 g (17 oz) de haricots Pinto non assaisonnés
125 ml (½ tasse) d'oignon, haché
7 ml (1½ c. à thé) de chili en poudre
1 gousse d'ail, hachée
2 ml (½ c. à thé) de sel
1 ml (¼ de c. à thé) de poivre
60 g (2 oz) de monterey
30 ml (2 c. à table) de beurre

Dans un grand bol, écraser les haricots. Ajouter le reste des ingrédients, à l'exception du beurre, et mélanger. Dans une grande casserole, faire fondre le beurre. Ajouter la préparation à base de haricots et laisser cuire doucement à feu doux, en remuant fréquemment, jusqu'à ce que le tout ait épaissi.

Donne 4 portions

Plat de haricots verts à la française

500 ml (2 tasses) de haricots verts frais, coupés
1 boîte de crème de champignons en conserve
1 oignon émincé
5 ml (½ c. à table) d'huile d'olive
2 ml (½ c. à thé) de sel
1 ml (¼ c. à thé) de poivre

Préchauffer le four à 180 °C (350 °F).
Dans une casserole faire revenir l'oignon et les haricots dans l'huile chaude. Assaisonner, ajouter la crème de champignons et mélanger à la cuillère.

Verser la préparation dans un plat de cuisson.
Cuire au four 1 heure.

Donne 4 portions

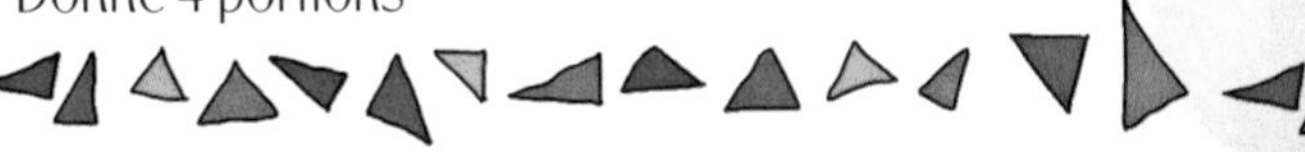

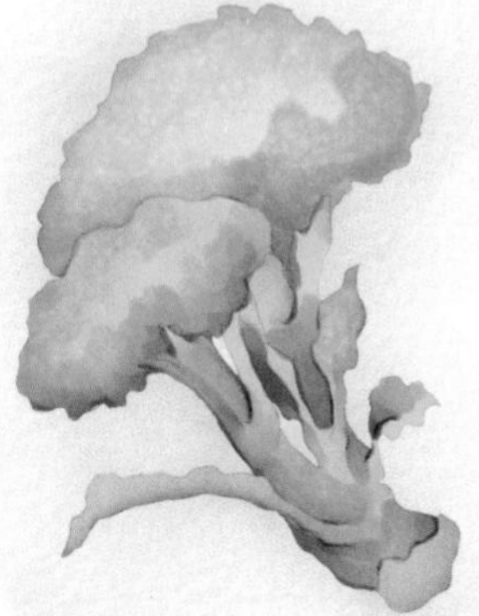

Brocoli à la sauce citron et amandes

1 emballage de brocolis surgelés hachés, cuits
50 ml (¼ de tasse) de beurre
30 ml (2 c. à table) de jus de citron
5 ml (1 c. à thé) de zeste de citron
50 ml (¼ de tasse) d'amandes effilées

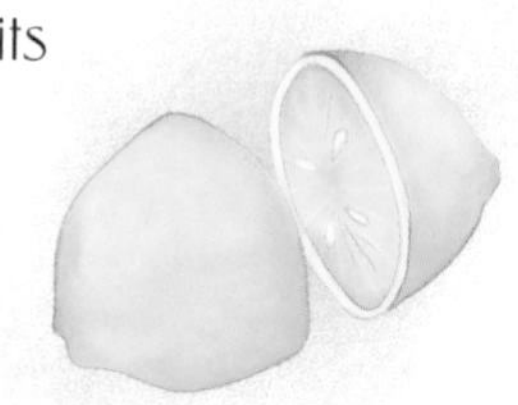

Égoutter les brocolis cuits et les mettre dans un bol.
Dans une casserole, faire fondre le beurre à feu doux. Ajouter le jus de citron, le zeste de citron et les amandes; laisser chauffer pendant 1 minute.
Verser sur le brocoli chaud et remuer délicatement.
Servir immédiatement.

Donne 4 à 6 portions

Crêpes à la courgette

500 ml (2 tasses) de courgettes, râpées
30 ml (2 c. à table) d'oignon, haché
30 ml (2 c. à table) de farine tout-usage
1 ml (¼ de c. à thé) de sel
1 ml (¼ de c. à thé) d'origan
1 pincée de poivre noir
15 ml (1 c. à table) de persil, haché
1 œuf, battu

Dans un petit bol, mélanger les courgettes râpées et l'oignon haché.
Saupoudrer avec la farine, le sel, l'origan, le poivre et le persil. Mélanger le tout à la fourchette. Incorporer l'œuf et mélanger à nouveau.
Verser environ 50 ml (¼ de tasse) de pâte dans une poêle préalablement beurrée.
Laisser cuire à feu moyen 2 à 3 minutes par côté, ou jusqu'à ce que la crêpe soit bien dorée et que la pâte ne soit plus liquide.
Servir comme accompagnement.

Donne 4 à 6 portions

Les traditionnels pois au bacon

450 g (16 oz) de haricots à hile noir
1,5 l (6 tasses) d'eau
4 tranches de bacon fumé au noyer
15 ml (1 c. à table) de sucre
15 ml (1 c. à table) de vinaigre blanc
15 ml (1 c. à table) de sel
1 ml (¼ de c. à thé) de poivre noir
1 ml (¼ de c. à thé) de sel d'ail

Trier et laver les haricots; les mettre dans un grand faitout. Les couvrir d'eau en veillant à ce qu'il y ait 5 cm d'eau au-dessus du niveau des fèves; laisser tremper pendant 8 heures. Rincer.
Ajouter 1,5 litre (6 tasses) d'eau et le reste des ingrédients.
Faire bouillir. Couvrir, réduire le feu et laisser mijoter pendant 1½ heure.

Donne 6 tasses

Il n'y a pas d'anniversaire sans gâteau – un gâteau spécialement conçu pour l'occasion, bien entendu. Cela me rappelle une anecdote concernant un gâteau d'anniversaire très spécial préparé par une maman très spéciale...

Le soccer fut le premier sport d'équipe auquel mon fils aîné avait choisi de participer. Lorsque la saison débutait, la maman responsable distribuait à tous les parents un horaire indiquant qui serait chargé d'apporter une collation pour les enfants. Comme tous les parents, lorsque mon tour venait, je me précipitais à l'épicerie juste avant le début du match, je remplissais mon panier de jus de fruits et d'autres collations en portions individuelles pratiques à transporter, puis je prenais la direction du terrain. Une seule maman – qui s'appelait Barbara – ne manquait jamais d'apporter, chaque fois que venait son tour, de magnifiques pâtisseries faites maison, confectionnées avec amour, ainsi que d'autres collations qui mettaient l'eau à la bouche. Inutile de mentionner qu'elle était très populaire auprès des enfants et des entraîneurs!

La saison de soccer était prétexte à mille et un amusements, et nous organisions toujours une petite fête pour la clore. Un jour, pour célébrer cet événement, Barbara fit son entrée avec ce qui avait tout l'air d'un ballon de soccer. Mais il était nappé d'un délicieux glaçage et décoré de suffisamment de bougies pour éclairer le visage de chaque personne présente dans la pièce. Tous les yeux s'écarquillèrent et chacun se mit à saliver, tandis qu'elle traversait la pièce chargée de son délice illuminé et le plaçait au centre de la grande table. J'étais terriblement impatiente de le goûter, comme tous les autres, et je ne fus pas déçue car le gâteau était aussi bon qu'il était beau! Je signale que, tout à son honneur, Barbara était une maman qui élevait seule ses trois enfants et qui, de plus, tenait une boulangerie-pâtisserie. C'était un véritable plaisir que de les avoir au sein d'une équipe!

Ce chapitre regorge d'idées pour agrémenter les fêtes d'anniversaire de vos enfants et inclut même la recette simplifiée d'un gâteau en forme de ballon de soccer, pour que vous puissiez vous aussi ravir votre petit(e) athlète.

BONNE FÊTE!
Bonne Fête!

Gâteau royal à l'ananas

Croûte :
500 ml (2 tasses) de gaufrettes à la vanille, écrasées
125 ml (½ tasse) de sucre
125 ml (½ tasse) de beurre ou de margarine, fondu(e)

Garniture :
450 g (16 oz) de fromage à la crème, ramolli
250 ml (1 tasse) de sucre
5 ml (1 c. à thé) de vanille
3 grosses bananes coupées en rondelles
550 g (20 oz) d'ananas broyé, bien égoutté
375 ml (12 oz ou 1½ tasse) de crème fouettée
125 ml (½ tasse) de noix hachées
120 g (4 oz) de cerises au marasquin, égouttées et coupées en deux

Préchauffer le four à 180 °C (350 °F).

Croûte :
Dans un grand bol, combiner 125 ml (½ tasse) de sucre, les gaufrettes et le beurre fondu.
Placer la préparation dans un moule de 23 cm x 33 cm (9 po x 13 po) et bien la tasser.
Faire cuire au four 15 minutes, puis laisser refroidir la croûte, une fois sortie du four.

Garniture :
Dans un bol, battre en crème le fromage et le sucre. Ajouter la vanille.
Étaler cette préparation sur la croûte.
Ajouter successivement les bananes coupées en rondelles et l'ananas, puis terminer par la crème fouettée.
Saupoudrer de petits morceaux de noix et décorer avec les cerises au marasquin.
Couvrir et placer au réfrigérateur pour 6 heures, ou jusqu'au lendemain.

Donne 8 portions

Gâteau ballon de soccer

Enduit végétal
30 ml (2 c. à table) de farine tout-usage
175 ml (¾ de tasse) de sucre blanc
Colorant alimentaire noir
1 boîte de 510 g (18 oz) de mélange à gâteau jaune
1 contenant de 450 g (16 oz) de glaçage à la vanille
12 ficelles de réglisse noire

Préchauffer le four à 180 °C (350 °F).
Graisser un moule a gâteau rond de 3 litres allant au four à l'aide d'un enduit végétal, et le saupoudrer de farine.
Mettre le sucre dans un petit bol et y verser quelques gouttes de colorant alimentaire noir, jusqu'à obtention de la teinte souhaitée. Réserver.

Préparer la pâte du gâteau selon les instructions de l'emballage et la verser dans le bol graissé et enfariné. Faire cuire au four pendant 1¼ heure (ou la durée indiquée sur l'emballage).
Laisser tiédir le gâteau pendant 15 minutes dans le bol, puis le renverser sur une assiette et le laisser refroidir complètement.
Une fois le gâteau refroidi, le placer sur une assiette à gâteau.
Recouvrir le tout du glaçage à la vanille.

À l'aide d'un cure-dent, dessiner un pentagone au centre de la partie supérieure du gâteau, puis l'entourer de cinq formes hexagonales. Continuer de dessiner des hexagones à intervalle régulier, jusqu'à ce que toute la surface du gâteau soit recouverte.
Couvrir les traits à l'aide des ficelles de réglisse, coupées en morceaux de 3,8 cm (1½ po). Remplir les espaces en forme de pentagones avec le sucre noir.

Laisser reposer pendant 1 heure avant de servir.

Donne 6 portions

Manège enchanté

750 ml (3 tasses) de farine tout-usage
10 ml (2 c. à thé) de poudre à pâte
3 ml ($\frac{3}{4}$ de c. à thé) de sel
250 ml (1 tasse) de beurre
non salé, ramolli
400 ml ($1\frac{2}{3}$ tasse) de sucre
3 oeufs
5 ml (1 c. à thé) de vanille
375 ml ($1\frac{1}{2}$ tasse) de lait
Des biscuits en forme d'animaux
1 sucette décorée de tourbillons
Des bonbons en bâtonnets ou
des pailles de couleur
Des rubans et des petits drapeaux
750 ml (3 tasses) de glaçage au beurre parfumé
à la vanille (voir recette page suivante)

Préchauffer le four à 180 °C (350 °F).
Graisser deux moules à gâteau ronds de 23 cm x 5 cm (9 po x 2 po).

Dans un bol moyen, combiner la farine,
la poudre à pâte et le sel.

Dans un autre bol, battre ensemble le beurre,
le sucre et les oeufs jusqu'à obtention d'un mélange
homogène. Ajouter la vanille tout en battant.
Ajouter le contenu du premier bol en alternant
avec le lait, terminer avec la farine et bien mélanger.

Verser la pâte dans les deux moules à gâteau, en la
répartissant de manière égale.

Cuire au four de 25 à 30 minutes, ou jusqu'à ce qu'un cure-dent en
bois inséré au centre en ressorte propre.

Laisser les gâteaux tiédir dans les moules pendant 5 minutes, puis les démouler et les mettre à
refroidir sur une grille.

Glaçage au beurre parfumé à la vanille :

Dans un grand bol, battre 500 ml (2 tasses) de sucre en poudre, 250 ml (1 tasse) de beurre non salé, ramolli, 125 ml (½ tasse) de crème épaisse et 7 ml (1½ c. à thé) d'extrait de vanille jusqu'à obtention d'un mélange homogène. Recouvrir d'une pellicule plastique jusqu'à l'utilisation.

Pour assembler le gâteau « manège », placer un des gâteaux, le côté le plus plat vers le haut, sur une assiette.

Y étaler une épaisse couche de glaçage – environ 250 ml (1 tasse).

Mettre le deuxième gâteau à l'endroit sur le dessus. Napper toutes les surfaces du gâteau avec le reste du glaçage.

Piquer la sucette au centre. Décorer la partie centrale du gâteau en répartissant à égales distances les bonbons en bâtonnets ou les pailles sur tout le pourtour intérieur du dessus du gâteau.

Puis, placer les biscuits en forme d'animaux, les rubans et les petits drapeaux pour former un manège.

Écrire « Bonne fête » ou le prénom de votre enfant sur les drapeaux (facultatif).

Donne 10-12 portions

Trempette de fruits cool

2 paquets de 113 g de pouding instantané au chocolat
2 paquets de 113 g de pouding instantané à la vanille
1 L (4 tasses) de fraises
6 bananes
2 grappes de raisin vert
2 sachets (environ 250 g) de noix de coco râpée
250 ml (1 tasse) d'amandes ou d'arachides broyées
500 ml (2 tasses) de crème fouettée commerciale (ou maison)

Préparer le pouding instantané au chocolat selon les instructions de l'emballage, puis celui à la vanille. Verser chacun d'eux dans un bol différent et les placer au réfrigérateur le temps de la préparation de la recette.

Laver et couper les fraises en deux. Couper les bananes en rondelles. Laver les raisins. Placer les fraises, les bananes, la noix de coco, les amandes et la crème fouettée dans des bols individuels.

Disposer assiettes et fourchettes sur la table.

Placer les fruits, les garnitures et les poudings au centre de la table, pour que chacun puisse se servir.

À l'aide d'une fourchette, piquer le morceau de fruit choisi et le tremper dans un des poudings, puis dans la noix de coco et/ou les noix, et enfin dans la crème fouettée.

Donne 10 à 12 portions

Petit marmiton

Dispose les assiettes et les fourchettes sur la table.

Gâteau « Barbie »

Enduit végétal
30 ml (2 c. à table) de farine tout-usage
1 paquet de 510 g (18 oz) de mélange
à gâteau blanc ou jaune
2 contenants de 450 g (16 oz) de
glaçage à la vanille
1 goutte de colorant alimentaire

Préchauffer le four à 180 °C (350 °F).

Graisser un bol à mélanger en verre de 2 litres allant au four à l'aide d'un enduit végétal et le saupoudrer de farine.

Préparer la pâte du gâteau selon les instructions de l'emballage. La verser dans le bol préparé à cet effet et faire cuire au four de 50 à 60 minutes, ou jusqu'à ce qu'un cure-dent inséré au centre en ressorte propre. Laisser tiédir le gâteau dans le bol pendant 15 minutes.

Le renverser sur une assiette à gâteau, la partie plate dessous. Laisser refroidir pendant 3 heures avant de le décorer.

Insérer alors une poupée Barbie propre au centre du gâteau, jusqu'à ce que celui-ci lui arrive à la taille. Ajouter le ou les colorants alimentaires de votre choix dans le glaçage, pour obtenir une ou plusieurs couleurs.

Étaler le glaçage sur le gâteau de façon régulière pour former la « jupe » de la poupée. Utiliser un piston à décorer muni d'un embout pour rendre la jupe aussi élégante que désiré. Puis terminer de décorer la poupée en lui créant un haut assorti à sa « jupe ».

Laisser reposer 1 heure avant de servir.

Donne 12 portions

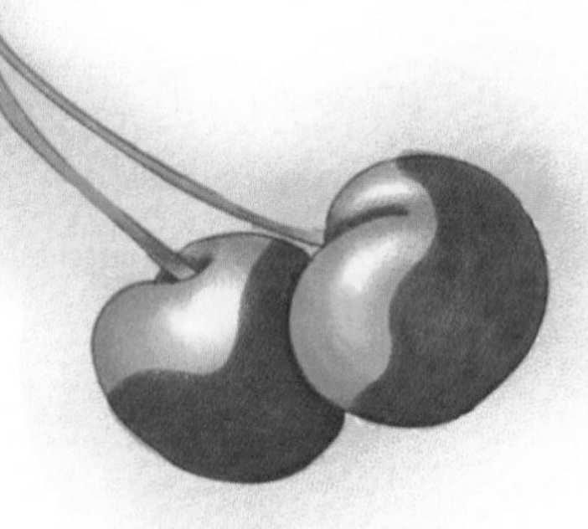

Petits gâteaux choco-cerise

24 cerises au marasquin entières
1 boîte de mélange à gâteau aux brisures de chocolat
50 ml (¼ de tasse) de sirop de cerises
500 ml (2 tasses – 16 oz) de glaçage au chocolat

Préchauffer le four selon les instructions de l'emballage du mélange à gâteau.
Égoutter les cerises en réservant le sirop. Les éponger avec un essuie-tout.
Préparer la pâte du gâteau selon les instructions de l'emballage, en remplaçant 50 ml (¼ de tasse) d'eau par la même quantité de sirop de cerises.
Verser la pâte dans des moules à petits gâteaux et faire cuire selon les instructions de l'emballage.
Laisser refroidir les petits gâteaux, puis les napper de glaçage au chocolat.
Décorer chaque gâteau d'une cerise.

Donne 24 petits gâteaux

Petits gâteaux-surprises

1 boîte de mélange à gâteau

Suggestions de garniture surprise :
Cerises au marasquin
Amandes, pacanes, ou noix de Grenoble en demies
Bonbons mous
Gaufrettes de chocolat à la menthe

Suggestions de décoration :
Fromage à la crème
Dattes dénoyautées
Raisins secs
Glaçage

Préchauffer le four à 180 °C (350 °F). Graisser les moules à petits gâteaux.
Préparer la pâte du gâteau selon les instructions de l'emballage.
Verser une cuillerée à table comble de pâte dans chaque moule et y déposer la garniture de votre choix. Ajouter une autre cuillerée de pâte par-dessus.
Faire cuire au four de 25 à 30 minutes, ou jusqu'à ce que les petits gâteaux soient bien dorés.
Les démouler et les laisser refroidir.
Les napper ensuite de glaçage et y déposer la ou les décorations de votre choix.

Donne 24 petits gâteaux

Ballons d'anniversaire

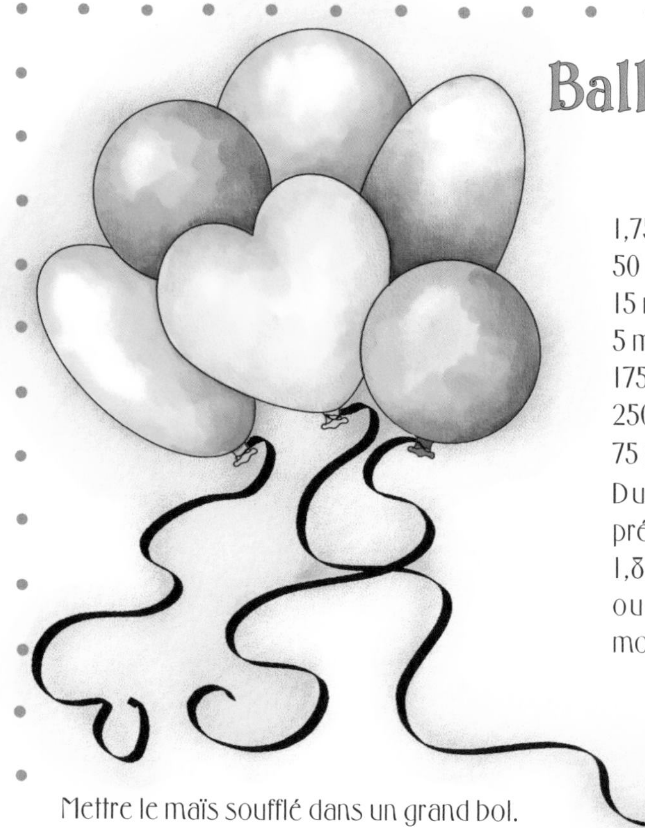

1,75 L (7 tasses) de maïs soufflé nature
50 ml (¼ de tasse) de sirop de maïs léger
15 ml (1 c. à table) de margarine
5 ml (1 c. à thé) d'essence de vanille
175 ml (¾ de tasse) d'eau froide
250 ml (1 tasse) de sucre de confiserie
75 ml (⅓ de tasse) de guimauves
Du colorant alimentaire de la couleur préférée de votre enfant
1,85 m (2 vg) à 2,25 m (2½ vg) de ficelle ou de ruban de couleur, coupés en 20 morceaux de 7,5 cm (3 po) à 12,5 cm (5 po)

Mettre le maïs soufflé dans un grand bol.

Combiner le sirop de maïs, la margarine, la vanille, l'eau froide, le sucre de confiserie et les guimauves dans une casserole. Faire chauffer la préparation à feu moyen, jusqu'au point d'ébullition.

Ajouter le colorant alimentaire, une goutte à la fois, jusqu'à obtention de la teinte désirée.

Verser en un filet la préparation chaude sur le maïs soufflé, en veillant à enrober chaque grain.

Se graisser les mains avec de l'huile végétale et former rapidement des boules (ou « ballons d'anniversaire ») avec le maïs.

Attacher un morceau de ficelle ou de ruban à chacun des « ballons ».
Les placer sur une grande assiette de service.

Donne 15 à 20 ballons

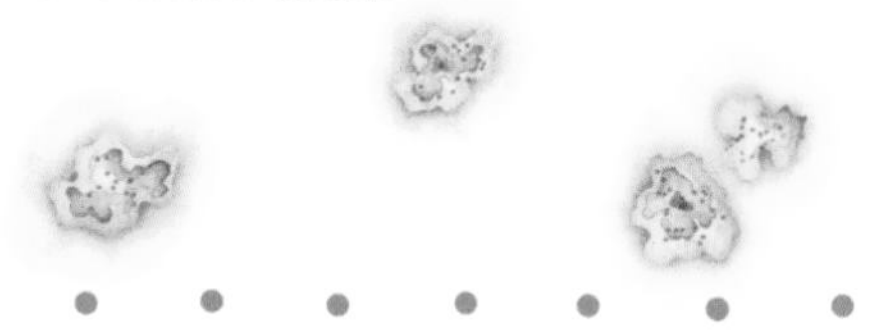

Petit marmiton

Noue un morceau de ficelle à chaque boule de maïs pour qu'elle ressemble à un « ballon d'anniversaire ».

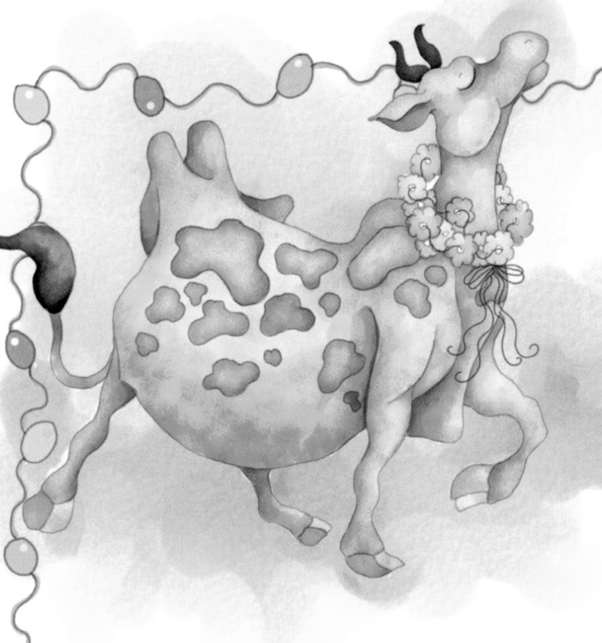

Mini hamburgers hawaïens

900 g (2 lb) de bœuf haché maigre
30 ml (2 c. à table) de ketchup
30 ml (2 c. à table) de cassonade
5 ml (1 c. à thé) de poivre
5 ml (1 c. à thé) de sel
1 gousse d'ail, finement hachée
5 ml (1 c. à thé) d'oignon en poudre
Petits pains à hamburgers (ou pains grand format coupés en quatre)
1 boîte de tranches d'ananas en conserve
Garnitures au choix (ketchup, moutarde, relish, laitue, tomate, cornichons, etc.)

Préchauffer le four à 180 °C (350 °F).

Dans un bol moyen, mêler ensemble le bœuf haché, le ketchup, la cassonade, le poivre, le sel, l'ail et l'oignon en poudre. Travailler le mélange à la main, pour obtenir une préparation bien homogène.

Former des boulettes de viande, légèrement plus petites qu'une balle de golf, puis les aplatir entre vos paumes pour obtenir des galettes de viande.

Préchauffer une poêle à fond cannelé (ou votre barbecue) à température élevée. Faire griller les hamburgers jusqu'à ce que la viande soit bien saisie et marquée par les lignes de la grille, c'est-à-dire 1 minute de chaque côté environ. Transférer les galettes de viande sur une plaque et poursuivre la cuisson au four, pendant 5 à 10 minutes, ou jusqu'à ce que la viande soit cuite et ait perdu sa couleur rosée à l'intérieur.

Placer chaque galette de viande sur un petit pain. Ajouter une tranche d'ananas, ainsi que les garnitures de votre choix.

Donne 24 portions

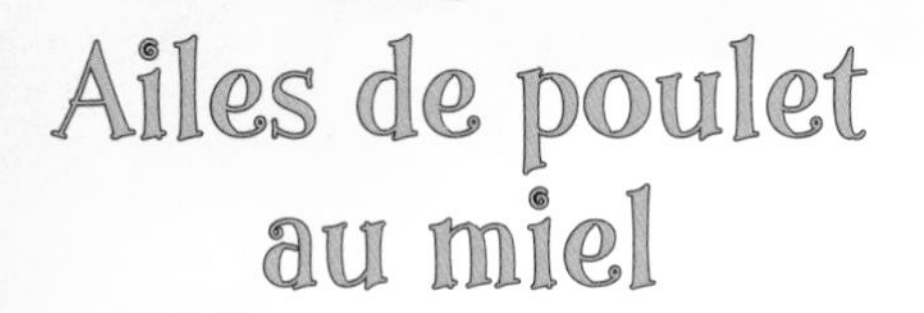

Ailes de poulet au miel

300 ml (10 oz) de sauce de soja
10 ml (2 c. à thé) de gingembre frais, râpé
ou 5 ml (1 c. à thé) de gingembre moulu
2 gousses d'ail, finement hachées
75 ml (⅓ de tasse) de cassonade
5 ml (1 c. à thé) de moutarde au miel
24 ailes de poulet
Ail en poudre
2 carottes
2 branches de céleri

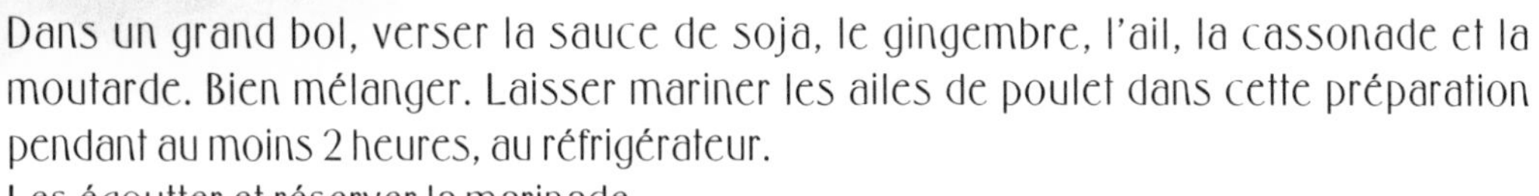

Dans un grand bol, verser la sauce de soja, le gingembre, l'ail, la cassonade et la moutarde. Bien mélanger. Laisser mariner les ailes de poulet dans cette préparation pendant au moins 2 heures, au réfrigérateur.
Les égoutter et réserver la marinade.

Préchauffer le four à 180 °C (350 °F).

Placer les ailes dans un plat allant au four et les faire cuire 1½ heure, en les retournant et les arrosant fréquemment avec la marinade. Jeter le reste de la marinade à la fin de la cuisson. Saupoudrer les ailes de poulet d'ail en poudre et les passer sous le gril 1 à 2 minutes, jusqu'à ce que la peau soit bien croustillante. Sortir le plat du four et laisser tiédir les ailes pendant que vous préparez les légumes.

Laver les carottes et les branches de céleri. Couper les carottes en deux dans le sens de la longueur, puis de nouveau en deux. Les couper ensuite en morceaux de 5 cm (2 po), de façon à obtenir une douzaine de bâtonnets par carotte. Couper les branches de céleri de la même manière.

Servir 4 ailes de poulet à chaque enfant, accompagnées de 4 bâtonnets de carotte et de 4 bâtonnets de céleri.

Donne 6 portions

Pizza d'anniversaire

1 sachet de levure active sèche
175 ml (¾ de tasse) d'eau tiède
500 ml (2 tasses) de farine tout-usage
2 ml (½ c. à thé) de sel
1 ml (¼ de c. à thé) de sucre
8 ml (½ c. à table) d'huile d'olive

Dans un petit bol, dissoudre la levure dans l'eau; Laisser reposer 5 minutes, en remuant de temps en temps.

Dans un grand bol, mêler la farine, le sel, le sucre et l'huile. Former un puits au centre de la préparation. Lorsque le mélange eau/levure forme des bulles, le verser dans le puits. Commencer alors à pétrir la pâte, en ramenant la farine au centre du bol, et en augmentant graduellement la cadence du pétrissage. Si la pâte semble trop sèche, rajouter un peu d'eau; si elle est trop collante, rajouter de la farine. Pétrir énergiquement jusqu'à ce que la pâte devienne souple et élastique.

Rouler la pâte en boule et la couvrir d'un linge humide. La laisser reposer 20 minutes à la température ambiante.

Battre ensuite la pâte avec la paume de la main pour en faire sortir les gaz accumulés pendant la fermentation, puis former de nouveau une boule et la placer dans un bol graissé. L'enduire d'huile d'olive, la couvrir d'une pellicule plastique, et la placer au réfrigérateur.

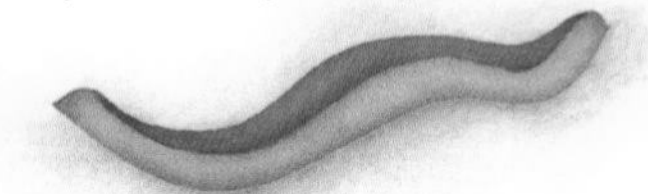

Pour faire la pizza, placer la pâte sur le dessus enfariné d'un plan de travail ou d'une table. L'abaisser à la main, en partant du centre vers l'extérieur (vous pouvez aussi utiliser un rouleau à pâte, si désiré).
Transférer la pâte sur une plaque à biscuits ou une plaque à pizza graissée, pour obtenir un fond de pizza de 30 cm (12 po) de diamètre, aux bords plus épais que le centre.

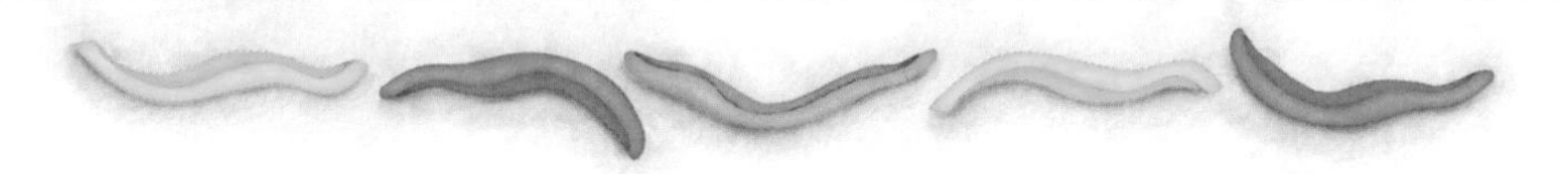

Garnitures :
125 ml à 175 ml (½ à ¾ de tasse) de sauce à pizza
250 ml (1 tasse) de fromage mozzarella râpé (non tassée)
½ poivron vert, ½ poivron rouge et ½ poivron jaune, coupés en fines lamelles sur toute leur longueur
100 g à 120 g (3 à 4 oz) de pepperoni, finement tranché

Préchauffer le four à 230 °C (450 °F).
Placer le fond de pizza sur une plaque à pizza antiadhésive de 35 cm (14 po) de diamètre. Les bords doivent être légèrement plus épais que le centre; si ce n'est pas le cas, replier les bords sur eux-mêmes pour les épaissir. Étaler uniformément la sauce sur le fond de pizza, jusqu'au bord. Y saupoudrer le fromage râpé. Disposer les poivrons sur le pourtour de la pizza (sur la ligne de démarcation entre la sauce et le bord), en faisant alterner les couleurs, pour créer une bordure colorée, de circonstance pour un anniversaire.

Au centre de la pizza, former le chiffre correspondant à l'âge de votre enfant à l'aide de tranches de pepperoni. Utiliser le reste des tranches de pepperoni et des lamelles de poivron pour former des « ballons d'anniversaire ».

Cuire au four jusqu'à ce que la croûte devienne dorée et que le fromage commence à former des bulles, soit une vingtaine de minutes.
Sortir la pizza du four et la laisser tiédir 5 à 10 minutes.
Puis, la faire glisser sur une planche et la découper à l'aide d'une roulette coupante.

Petit marmiton

Dessine des ballons d'anniversaire sur la pizza avec les tranches de pepperoni et les lamelles de poivron.

Donne 8 grosses portions ou 16 petites

Pépites de poulet

450 g (1 lb) de filets de poitrine de poulet désossée
Huile végétale pour la friture
75 ml (1/3 de tasse) de farine tout-usage
1 ml (1/4 de c. à thé) de sel
8 ml (1½ c. à thé) de vinaigre
1 ml (1/4 de c. à thé) de bicarbonate de soude
75 ml (1/3 de tasse) d'eau

Découper le poulet en morceaux de la taille d'une pépite, soit environ 2,5 cm x 1,25 cm (1 po x ½ po).

Verser l'huile dans une friteuse et la chauffer à 185 °C (360 °F).

Dans un grand bol, mélanger la farine et le sel.

Dans un petit bol, mélanger le vinaigre et le bicarbonate de soude. Verser la préparation dans le bol contenant la farine, ajouter l'eau, et battre jusqu'à obtention d'un mélange homogène.

Plonger les morceaux de poulet dans la pâte à frire. Au moment de les sortir, laisser couler l'excédent de pâte dans le bol.

Faire frire 4 à 6 pépites à la fois, jusqu'à ce qu'elles deviennent dorées (environ 4 minutes par lot).

Les laisser égoutter sur du papier essuie-tout.

Donne 8 portions

Boulettes du petit cochon

450 g (1 lb) de saucisse piquante, émiettée
450 g (1 lb) de saucisse non piquante, émiettée
350 g (12 oz) de fromage fort, ramolli
350 g (12 oz) de fromage doux, ramolli
1 L (4 tasses) de mélange de type Bisquick

Préchauffer le four à 200 °C (400 °F).
Dans un grand bol, mêler ensemble tous les ingrédients jusqu'à obtention d'une préparation homogène.
Rouler la préparation en boulettes, et disposer celles-ci sur une plaque à biscuits.
Faire cuire au four 10 minutes.
Servir chaud.

Donne 20 à 30 boulettes

Saucisses en robe de chambre

1 emballage de pâte à croissants réfrigérée
8 tranches de fromage cheddar
8 saucisses fumées

Préchauffer le four à 180 °C (350 °F).
Séparer la pâte en 8 triangles égaux.
Enrouler une tranche de fromage autour de chaque saucisse, puis enrober le tout d'un triangle de pâte.
Disposer les croissants sur une plaque à biscuits non graissée.
Faire cuire au four 10 à 13 minutes, ou jusqu'à ce que les croissants soient dorés.

Donne 8 portions

Bouchées au brocoli et au fromage

45 ml (3 c. à table) de beurre
300 g (10 oz) de brocoli en bouquets
3 gros œufs
250 ml (1 tasse) de lait
250 ml (1 tasse) de farine tout-usage
5 ml (1 c. à thé) de poudre à pâte
5 ml (1 c. à thé) de sel
1 l (4 tasses) de cheddar doux grossièrement râpé
30 ml (2 c. à table) d'oignon finement haché
Sel aux épices

Préchauffer le four à 180 °C (350 °F). Avec le beurre, graisser un plat de 23 cm x 33 cm (9 po x 13 po) allant au four.

Faire cuire le brocoli à la vapeur environ 3 minutes, jusqu'à cuisson partielle. Laisser tiédir les bouquets, puis les éponger délicatement avec un essuie-tout.

Dans un grand bol, battre les œufs et le lait jusqu'à obtention d'un mélange mousseux.

Dans un autre bol, mêler ensemble la farine, la poudre à pâte et le sel; verser ce mélange dans le bol contenant la préparation aux œufs et bien remuer. Incorporer le brocoli, le fromage et l'oignon en pliant délicatement la pâte.

Verser la pâte à la cuillère dans le plat graissé, en l'étalant uniformément. Saupoudrer de sel aux épices.

Faire cuire au four 35 minutes environ, ou jusqu'à ce que la préparation ait pris et soit légèrement dorée.
Laisser reposer 5 minutes, puis découper en petites bouchées.

Donne 4 douzaines de carrés de 4 cm (1½ po)

Raviolis frits

2 gros œufs, battus
30 ml (2 c. à table) de lait
Sel et poivre frais moulu, au goût
500 ml (2 tasses) de chapelure
Huile végétale pour la friture
Un emballage (environ 3 douzaines) de raviolis au fromage surgelés, décongelés
50 ml (¼ de tasse) de parmesan (facultatif)
Un bocal d'environ 800 ml (26 oz à 28 oz) de sauce marinara, réchauffée

Dans un grand bol, fouetter les œufs, le lait, le sel et le poivre.

Verser la chapelure dans un deuxième grand bol, ou dans un grand plat.

Faire chauffer l'huile à feu moyen-élevé dans une poêle profonde, ou dans une friteuse, jusqu'à ce qu'elle ait atteint 150 °C (300 °F). Tremper les raviolis dans la préparation aux œufs, puis les enrober de chapelure. Faire frire 6 à 8 raviolis à la fois, jusqu'à ce qu'ils deviennent dorés. Les laisser égoutter sur du papier essuie-tout.

Si désiré, saupoudrer les raviolis de parmesan pendant qu'ils sont encore chauds. Servir avec la sauce marinara chaude.

Donne 4 à 6 portions

Petit marmiton

Mesure la quantité de chapelure et verse-la dans un grand plat.

Carrés au nez rouge

2 emballages de préparation pour biscuits, congelée (20 biscuits)
3 œufs
1 petite boîte de lait évaporé
125 ml (½ tasse) de sucre
5 ml (1 c. à thé) de vanille
50 ml (¼ de tasse) de margarine
1 boîte de 630 g (21 oz) de garniture pour tarte aux pommes
5 ml (1 c. à thé) de cannelle
250 ml (1 tasse) d'eau
12 cerises, dénoyautées

Préchauffer le four à 180 °C (350 °F).
Faire cuire les biscuits selon les instructions de l'emballage, puis les laisser tiédir.
Dans un grand bol à mélanger, casser chaque biscuit en quatre gros morceaux.
Ajouter les œufs, le lait, le sucre, la vanille, la margarine, la garniture pour tarte aux pommes, la cannelle et l'eau, et bien mélanger.
Vaporiser d'un enduit végétal un plat à cuisson de 23 cm x 30 cm (9 po x 12 po). Verser la préparation dans le plat en l'étalant uniformément.
Placer les cerises sur le dessus de la préparation, en laissant un espace égal entre chacune.
Cuire au four 30 à 40 minutes, ou jusqu'à ce qu'un cure-dent inséré au centre du gâteau en ressorte propre.
Laisser tiédir avant de découper en carrés.

Donne 12 carrés

Parfaits pom'riz

1 sachet de mélange pour pouding à la vanille (pour cuisson)
625 ml (2½ tasses) de lait
875 ml (3½ tasses) de riz cuit
125 ml (½ tasse) de crème sure
2 ml (½ c. à thé) de cannelle moulue
0,5 ml (⅛ de c. à thé) de muscade moulue
1 boîte de garniture pour tarte aux pommes
125 ml (½ tasse) de raisins secs
7 ml (1½ c. à thé) de jus de citron
Cannelle moulue pour décorer

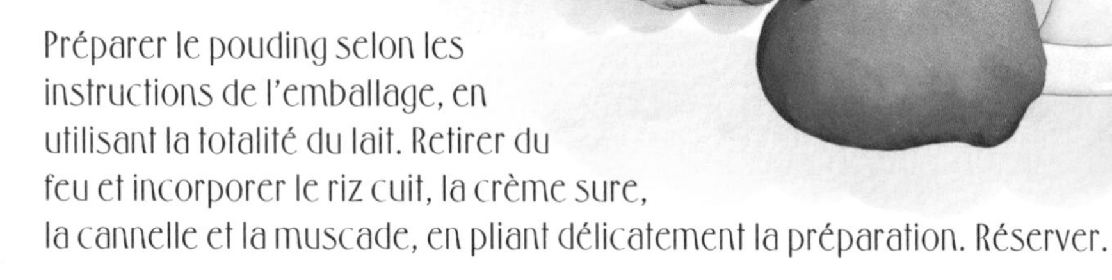

Préparer le pouding selon les instructions de l'emballage, en utilisant la totalité du lait. Retirer du feu et incorporer le riz cuit, la crème sure, la cannelle et la muscade, en pliant délicatement la préparation. Réserver.

Dans un grand bol, combiner la garniture pour tarte aux pommes avec les raisins secs et le jus de citron; bien mêler le tout.

Déposer environ ⅓ du pouding à la cuillère dans 8 coupes à parfait ou dans des coupes à dessert; y ajouter environ ¼ du mélange aux pommes, puis répartir le reste du pouding sur le dessus des coupes. Saupoudrer de cannelle, au goût.

Peuvent se servir chauds ou froids.

Donne 8 portions

Trempette pour pommes au « caramel »

3 emballages de 250 g (8 oz) de fromage
à la crème
375 ml (1½ tasse) de cassonade
45 ml (3 c. à table) d'extrait de vanille
6 pommes vertes

Dans un grand bol, combiner le fromage à la crème, la cassonade et la vanille; bien mélanger. Si la préparation vous semble trop liquide, ajouter un peu de cassonade; si elle vous semble trop épaisse, ajouter un peu d'extrait de vanille.
Conserver la trempette à la température ambiante jusqu'au moment de servir.

Découper chaque pomme en 16 tranches.
Servir 8 tranches de pomme (½ pomme) accompagnées de 50 ml (¼ de tasse) de trempette au « caramel ».

Donne 12 portions

Petit marmiton : Découpe les pommes en 16 tranches

Trempette au chocolat pour friandises

4 carrés de chocolat mi-sucré
Les ingrédients de votre choix parmi les suivants :

- guimauves
- bretzels
- fraises
- bananes tranchées
- ananas en morceaux (frais ou en conserve)
- oranges en quartiers
- cerises au marasquin
- figues, dattes ou abricots séchés

Faire fondre le chocolat dans une casserole à feu très doux, en remuant constamment jusqu'à obtention d'une consistance lisse. Utiliser un bâtonnet en bois, un bâtonnet à brochette ou tout simplement une fourchette pour tremper un à un les ingrédients de votre choix dans le chocolat.

Les déposer sur une grille ou sur du papier ciré jusqu'à ce que le chocolat durcisse, puis placer le tout au réfrigérateur.

Il est préférable de servir ces friandises le jour même.

Donne 12 à 18 friandises chocolatées

Petit marmiton : Enfile les fruits de ton choix sur les bâtonnets

Mélange sucré pour *partys*

360 g (12 oz) d'un mélange de céréales de maïs et de riz croustillant
150 g (5 oz) d'amandes effilées
180 g (6 oz) de pacanes grillées, hachées
175 ml (¾ de tasse) de beurre
175 ml (¾ de tasse) de sirop de maïs
375 ml (1½ tasse) de cassonade dorée

Préchauffer le four à 120 °C (250 °F). Graisser légèrement une grande rôtissoire.

Dans un grand bol, mêler ensemble le mélange de céréales, les amandes et les pacanes.

Dans une casserole moyenne, faire fondre le beurre à feu moyen et incorporer le sirop de maïs et la cassonade dorée en remuant jusqu'à obtention d'un mélange homogène.

Verser la préparation liquide sur le mélange de céréales; remuer et agiter le tout jusqu'à ce que les céréales et les noix soient bien enrobées.

Verser la préparation enrobée dans la rôtissoire préparée et cuire une heure au four préchauffé, en remuant environ toutes les 15 minutes.

Faire refroidir le mélange sur du papier ciré et conserver dans un contenant hermétique.

Donne 20 à 24 portions

Verse les céréales, les amandes et les pacanes dans un grand bol et mélange bien le tout.

Maïs soufflé aux arachides et au chocolat

1 L (4 tasses) de maïs soufflé non salé
250 ml (1 tasse) de mini guimauves
125 ml (½ tasse) d'arachides salées
9 barres de chocolat au lait de 30 g (¾ oz) chacune environ

Préchauffer le four à 150 °C (300 °F).
Répartir le maïs soufflé sur une plaque à biscuits beurrée. Le parsemer de guimauves miniatures et d'arachides.
Disposer les barres de chocolat sur le dessus.
Faire chauffer 5 minutes au four, puis laisser tiédir et remuer le tout.

Donne 2,75 L (2½ pte)

Cocktail pétillant glacé

1 contenants de 355 ml (12 oz) de concentré de jus d'orange surgelé, décongelé
500 ml (2 tasses) de cocktail de jus de canneberge
50 ml (1/4 tasse) de sucre
1 bouteille d'environ 850 ml (28 oz) de soda, réfrigérée
Glace pilée

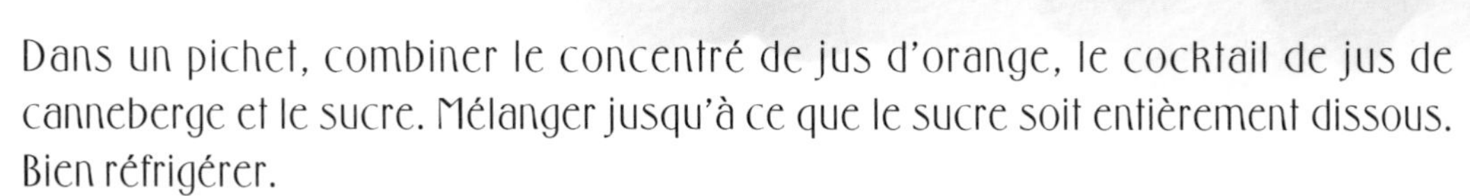

Dans un pichet, combiner le concentré de jus d'orange, le cocktail de jus de canneberge et le sucre. Mélanger jusqu'à ce que le sucre soit entièrement dissous.
Bien réfrigérer.
Verser le soda réfrigéré dans le pichet juste avant de servir.
Déposer de la glace pilée dans les verres et servir le cocktail pétillant.

Donne 8 tasses

Durant toutes les années que mes fils ont passées à l'école élémentaire, j'ai toujours pris plaisir à aider leurs enseignant(e)s dans la préparation de la célébration de la fête de Noël à l'école. Des dessins de bonshommes de neige, de pères Noël fantaisistes et d'anges suspendus dans les airs venaient décorer les couloirs de l'école. Des guirlandes en papier de couleur entouraient gaiement les tableaux d'affichage. Les enseignants et le personnel de l'école étaient habillés de rouge et de vert, tandis qu'ils guidaient leurs élèves surexcités.

Un moment fort de ces préparatifs était la confection de maisons en pain d'épice. Les élèves étaient divisés en petits groupes et on mettait à leur disposition suffisamment de friandises et de fruits confits aux couleurs vives du temps des fêtes pour leur permettre la construction et la décoration minutieuse de leurs maisons en pain d'épice. C'était toujours un moment magique de découvrir les différentes maisons qui ornaient les tables à la fin de la journée. Et quelles expressions de fierté et de réussite on pouvait lire sur le visage de chacun des petits « architectes »! Les maisons, une fois terminées, étaient transportées avec soin et placées dans des endroits stratégiques pour y demeurer durant toute la période des fêtes afin que chacun ait le loisir de les admirer.

JOYEUX NOËL!

Oie rôtie et farcie, avec sa sauce

Farce :
10 tranches de pain français d'une épaisseur de 2,5 cm (1 po), coupées en cubes
250 ml (1 tasse) de raisins secs de Corinthe
4 pommes, épluchées, évidées et coupées en tranches
15 ml (1 c. à table) de thym séché
60 ml (4 c. à table) de margarine ou de beurre fondu

15 ml (1 c. à table) d'huile végétale
1 oie de 4,5 kg (10 lb)
1 oignon, haché
1 carotte, hachée
1 branche de céleri, hachée
1 gousse d'ail, finement hachée
1 brindille de thym frais
1 brindille de marjolaine fraîche
50 ml (¼ de tasse) de vin blanc
5 ml (1 c. à thé) de concentré de tomate
1 boîte de 284 ml (9 oz) de concentré de bouillon de poulet
Sel au goût
Poivre frais moulu au goût
15 ml (1 c. à table) de fécule de maïs (facultatif)
50 ml (¼ de tasse) d'eau (facultatif)

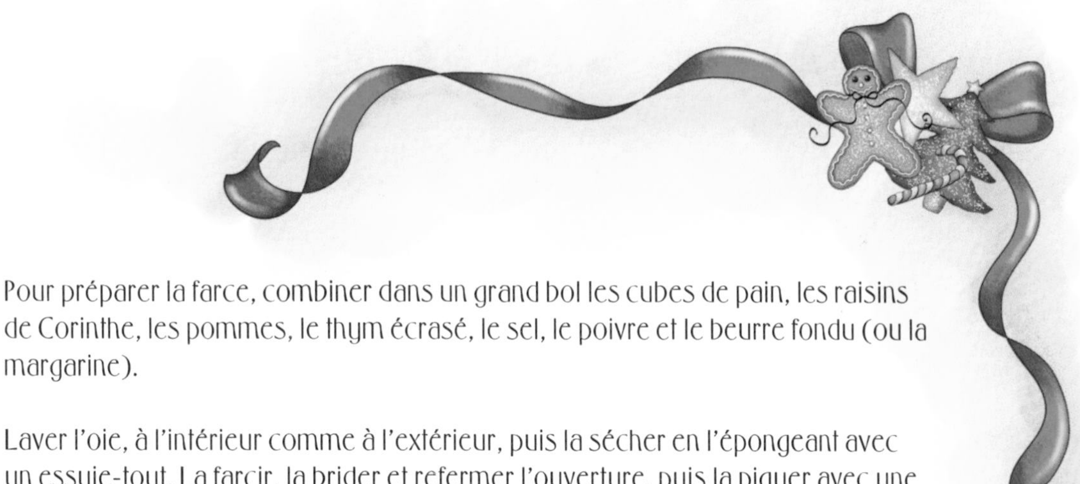

Pour préparer la farce, combiner dans un grand bol les cubes de pain, les raisins de Corinthe, les pommes, le thym écrasé, le sel, le poivre et le beurre fondu (ou la margarine).

Laver l'oie, à l'intérieur comme à l'extérieur, puis la sécher en l'épongeant avec un essuie-tout. La farcir, la brider et refermer l'ouverture, puis la piquer avec une fourchette de part en part.

Préchauffer le four à 190 °C (375 °F).

Faire chauffer l'huile dans une rôtissoire; faire revenir l'oie en la retournant de tous les côtés, jusqu'à ce qu'elle soit dorée. Retirer l'excédent de gras.

Placer l'oie dans la rôtissoire, la poitrine sur le dessus. Ajouter un peu d'eau, couvrir et faire rôtir une heure, puis retirer l'excédent de gras accumulé au fond de la rôtissoire.

Dans un bol, combiner l'oignon, la carotte, le céleri, l'ail, la marjolaine et le thym frais. Disposer le mélange de légumes autour de la volaille. Poursuivre la cuisson à découvert, en comptant 20 à 25 minutes par livre (entre 3 heures et 3½ heures). Retirer le gras toutes les 45 minutes environ, tout en ajoutant de l'eau, si nécessaire.

Transférer l'oie sur un plat de service et la garder au chaud en la recouvrant de papier aluminium. Retirer le reste du gras et faire réchauffer le jus et les légumes sur le feu, jusqu'à réduction du liquide. Ajouter le vin blanc, le concentré de tomate, le concentré de bouillon et assaisonner. Faire mijoter 10 à 15 minutes puis passer au tamis. Si nécessaire, ajouter un peu de fécule de maïs mélangée dans de l'eau pour épaissir la sauce.

Donne 6 à 8 portions

Chaussons fourrés au fromage et à la dinde

1 contenant de 125 g (4 oz) de fromage à la crème, ramolli
30 ml (2 c. à table) de beurre ou de margarine, ramolli(e)
30 ml (2 c. à table) de lait
500 ml (2 tasses) de dinde cuite, coupée en petits morceaux
0,5 ml (1/8 de c. à thé) de poivre
1 emballage de 235 g (8 oz) de pâte à croissants réfrigérée

Préchauffer le four à 180 °C (350 °F).

Dans le bol d'un mélangeur, combiner le fromage à la crème et le beurre et battre le tout à puissance moyenne, jusqu'à obtention d'un mélange lisse. Ajouter le lait et continuer à battre jusqu'à ce que le mélange soit homogène. Ajouter alors la dinde et le poivre.

Ouvrir le contenant de pâte et dérouler les croissants. Couper la pâte en 4 rectangles égaux. Aplanir les perforations qui délimitent les triangles pour obtenir des rectangles bien réguliers. À l'aide d'une cuillère, déposer la préparation à base de dinde au centre de chaque rectangle.

Humidifier les bords des rectangles et rabattre les 4 coins au centre, en enveloppant la garniture. Pincer les coins ensemble pour les sceller.

Placer les chaussons fourrés au fromage et à la dinde sur une plaque à biscuits non graissée. Faire cuire 20 à 25 minutes, ou jusqu'à ce qu'ils soient bien dorés.

Donne 4 portions

Remarque : Ceci est une excellente façon d'utiliser vos restes de dinde.

Petit marmiton

Place les chaussons sur la plaque à biscuit

Salade de Noël

375 ml (1½ tasse) de canneberges fraîches
250 ml (1 tasse) de pomme rouge, hachée
250 ml (1 tasse) de céleri, haché
250 ml (1 tasse) de raisins blancs sans pépins, coupés en demies
50 ml (¼ de tasse) de noix de Grenoble, hachées
15 ml (1 c. à table) de sucre
1 ml (¼ de c. à thé) de cannelle moulue
125 ml (½ tasse) de yogourt à la vanille
125 ml (½ tasse) de yogourt nature

Hacher les canneberges dans le bol du mélangeur. Préparer les autres ingrédients.
Dans un grand bol, combiner les canneberges, les pommes, le céleri, les raisins, les noix de Grenoble, le sucre, la cannelle et les deux types de yogourt. Bien remuer.
Couvrir et placer au réfrigérateur 2 heures.
Remuer de nouveau juste avant de servir.

Donne 4 à 6 portions

Gratin d'asperges

30 ml (2 c. à table) de beurre
30 ml (2 c. à table) de farine tout-usage
250 ml (1 tasse) de lait
2 ml (½ c. à thé) de sel
250 ml (1 tasse) de cheddar râpé
250 ml (1 tasse) de chapelure
1 boîte d'asperges en conserve, égouttées
2 œufs durs, coupés en tranches
125 ml (½ tasse) de piments doux, hachés

Préchauffer le four à 180 °C (350 °F).
Dans une casserole moyenne, faire fondre le beurre et ajouter la farine en remuant; Verser le lait et le sel; faire cuire jusqu'à ce que la préparation épaississe, en remuant constamment. Ajouter le fromage et remuer jusqu'à ce qu'il ait fondu.
Répartir la moitié du pain émietté dans le fond d'un plat en verre. Disposer les asperges et les œufs. Ajouter les piments doux, puis recouvrir le tout de la sauce au fromage. Saupoudrer le reste de la chapelure sur le dessus du plat.
Faire cuire au four 45 minutes.

Donne 4 portions

Pommes de terre et patates douces aillées

4 gousses d'ail
15 ml (1 c. à table) d'huile d'olive
675 g (1½ lb) de pommes de terre Yukon Gold, pelées et coupées en cubes
675 g (1½ lb) de patates douces, pelées et coupées en cubes
125 ml (½ tasse) de lait
50 ml (¼ de tasse) de beurre
1 ml (¼ de c. à thé) de romarin
Sel et poivre au goût

Préchauffer le four à 180 °C (350 °F). Graisser légèrement un plat à cuisson carré de 20 cm (8 po). Réserver.

Placer les gousses d'ail dans un petit plat de cuisson et les arroser d'huile d'olive; les faire rôtir 30 minutes, ou jusqu'à ce que leur chair soit bien tendre. Laisser tiédir les gousses d'ail, puis les peler au-dessus d'un petit bol. Réserver l'huile d'olive ayant servi à leur cuisson.

Faire bouillir les pommes de terre et les patates douces dans une grande casserole d'eau salée, jusqu'à ce qu'elles soient tendres, environ 20 minutes. Les égoutter et conserver l'équivalent d'une tasse de liquide.

Déposer les pommes de terre et les patates douces dans un grand bol avec le lait, le beurre, le romarin, l'ail rôti et l'huile d'olive. Écraser en ajoutant le liquide petit à petit, jusqu'à obtention de la consistance désirée. Saler et poivrer, au goût.

Transférer la préparation dans le plat de cuisson graissé et faire cuire jusqu'à ce que le mélange soit bien chaud et doré sur le dessus, environ 45 minutes.

Donne 8 portions

Rôti de porc

1 rôti de porc de 2,25 kg (5 lb)
1 gousse d'ail
Sauge

Préchauffer le four à 160 °C (325 °F).
Retirer la couenne et parer la viande. Écraser la moitié de la gousse d'ail et en frotter l'extérieur de la pièce de viande.

Couper l'autre moitié de la gousse d'ail en morceaux de taille moyenne. Faire de petites entailles dans la viande et y insérer les morceaux d'ail.

Placer le rôti sur une grille, dans la rôtissoire.

Faire cuire à four modéré (160 °C - 325 °F) 2 heures et 15 minutes.

Vers le milieu de la cuisson, assaisonner de sauge à volonté.

Astuces :
Parce ce qu'elles sont tendres, toutes les coupes de porc frais peuvent être rôties à découvert. Choisir, de préférence, le filet, les côtelettes ou l'épaule.

Prévoir de 40 à 50 minutes de cuisson par livre. Le temps alloué par livre sera plus court pour les morceaux d'un poids supérieur contenant un os, mais plus long pour les petites pièces, tel que pour les rôtis désossés et roulés.

Donne 15 portions

Jambon cuit à l'ananas

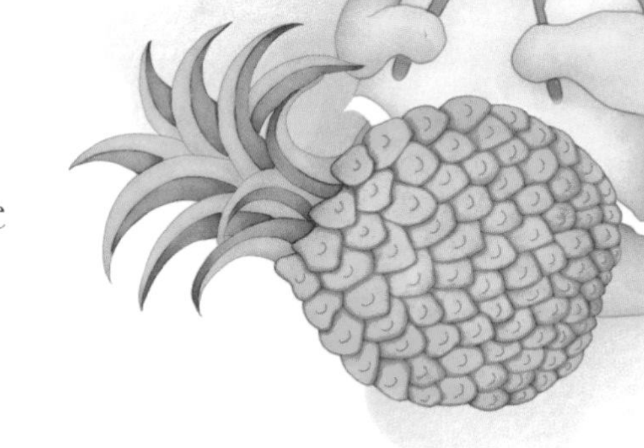

1 jambon de 3 kg à 3,5 kg (7 lb à 8 lb)
1 boîte de 540 ml (19 oz) d'ananas en tranches, avec le jus
50 ml (¼ de tasse) de cassonade dorée
50 ml (¼ de tasse) de miel
30 ml (2 c. à table) de jus de citron
Quelques clous de girofle entiers

Préchauffer le four à 160 °C (325 °F).
Déposer le jambon, non couvert, dans une rôtissoire, côté gras sur le dessus. Recouvrir de papier d'aluminium (sans le plaquer sur le jambon). Faire cuire environ 2½ heures, ou 20 minutes par livre.
Égoutter l'ananas, en réservant 125 ml (½ tasse) de jus. Combiner le jus d'ananas, la cassonade, le miel et le jus de citron dans une casserole et faire cuire à feu doux en remuant de temps en temps, jusqu'à ce que le sucre soit entièrement dissous.
Environ 45 minutes avant la fin de la cuisson, retirer le jambon du four.
Enlever le papier d'aluminium. Retirer la couenne et le gras du jambon et piquer quelques clous de girofle entiers dans la chair. Badigeonner le jambon avec la préparation au jus d'ananas et au miel.

Disposer les tranches d'ananas sur le jambon en les fixant à l'aide de cure-dents et badigeonner de nouveau le tout avec la préparation ananas-miel.
Faire cuire 45 minutes supplémentaires à 160 °C (325 °F), en continuant de mouiller la viande plusieurs fois avec la préparation.

Petit marmiton

Égoutte les tranches d'ananas dans une passoire (en gardant le jus), et mesure 125 ml (1/2 tasse) de jus.

Donne 10 à 12 portions

Tourtière

325 g (2/3 lb) de viande de porc, hachée
325 g (2/3 lb) de viande de veau, hachée
325 g (2/3 lb) de viande de bœuf, hachée
120 ml à 180 ml (8 à 12 c. à table) d'eau bouillante
75 ml (1/3 de tasse) d'oignon, haché fin
5 ml (1 c. à thé) de sel
Poivre au goût
Une pincée de cannelle
4 croûtes à tartes

Mettre la viande hachée dans une casserole épaisse. Ajouter l'eau bouillante et laisser mijoter 5 minutes.

Ajouter l'oignon haché, le sel et le poivre. Continuer la cuisson à feu doux jusqu'à ce que la viande soit blanche, soit environ 30 minutes.

Vérifier l'assaisonnement, ajouter du sel ou du poivre au goût.
Laisser refroidir. Retirer l'excédent de gras.

Remplir les deux croûtes inférieures avec la viande et couvrir à l'aide des croûtes supérieures. Sceller les bords de la pâte et faire quelques entailles sur le dessus pour permettre à la vapeur de s'échapper.

Chauffer le four à 230 °C (450 °F). Mettre les tourtières sur la grille du bas du four, pendant 10 minutes. Réduire ensuite la température à 160 °C (325 °F)
Faire cuire au four environ 25 à 30 minutes, ou jusqu'à ce que la pâte soit bien dorée.

Donne 2 tourtières de 4 à 5 portions chacune

Maison en pain d'épice

175 ml (¾ de tasse) de beurre
125 ml (½ tasse) de cassonade
50 ml (¼ de tasse) de sucre blanc
23 ml (1½ c. à table) de jus de citron
125 ml (½ tasse) de mélasse
2 œufs
625 ml (3 tasses) de farine tout-usage
10 ml (2 c. à thé) de poudre à pâte
15 ml (1 c. à table) de gingembre moulu
10 ml (2 c. à thé) de piment de la Jamaïque

Glaçage :
6 blancs d'œuf
4 sachets de 450 g (16 oz) chacun de sucre de confiserie, tamisé
Assortiment de bonbons pour la décoration

Pour commencer, découper les morceaux suivants dans un morceau de carton peu épais : un mur de côté de 13 cm x 20 cm (5 po x 8 po); un mur d'extrémité de 13 cm x 13 cm (5 po x 5 po); un pignon de 13 cm x 7,5 cm x 7,5 cm (5 po x 3 po x 3 po); un pan pour le toit de 10 cm x 23 cm (4 po x 9 po). Pour la cheminée : un panneau avant de 6,5 cm x 2,5 cm (2½ po x 1 po), un panneau arrière de 4 cm x 2,5 cm , et un panneau de côté de 6 cm x 2,5 cm (à tailler en fonction de l'inclinaison du toit). Assembler le mur d'extrémité de forme carrée et le pignon de forme triangulaire à l'aide de ruban adhésif, en veillant à faire correspondre un des côtés du carré avec le côté du triangle mesurant 13 cm.

Dans un grand bol, battre en crème le beurre, la cassonade et le sucre jusqu'à obtention d'une préparation légère et mousseuse. Incorporer le jus de citron et la mélasse. Ajouter les œufs l'un après l'autre, en continuant de battre.

Dans un autre bol, tamiser la farine, la poudre à pâte et les épices; ajouter le mélange d'ingrédients secs dans la préparation à base d'œuf, et remuer. Couvrir et réfrigérer pour 1 heure.

Préchauffer le four à 190 °C (375 °F).

Sur le dessus enfariné d'un plan de travail, abaisser la pâte jusqu'à 6 mm d'épaisseur environ. Positionner les gabarits de carton sur la pâte et la découper le long des contours de chacun des morceaux. Répéter l'opération une deuxième fois pour obtenir deux exemplaires de chaque forme. Décoller soigneusement les morceaux de pâte à l'aide d'une spatule et les déposer sur des plaques graissées.

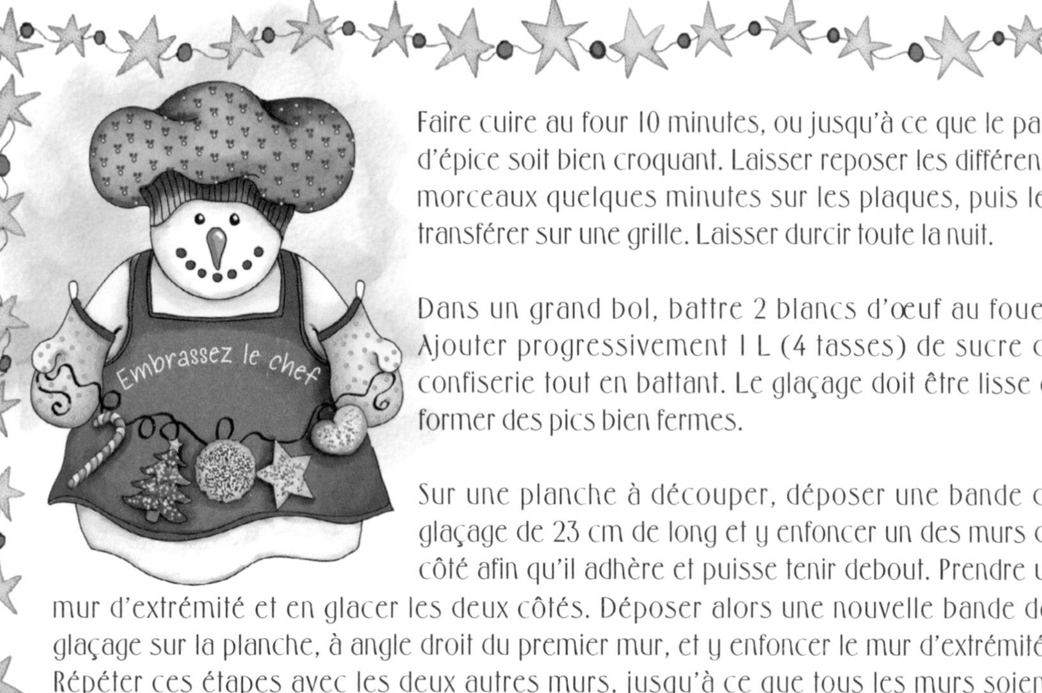

Faire cuire au four 10 minutes, ou jusqu'à ce que le pain d'épice soit bien croquant. Laisser reposer les différents morceaux quelques minutes sur les plaques, puis les transférer sur une grille. Laisser durcir toute la nuit.

Dans un grand bol, battre 2 blancs d'œuf au fouet. Ajouter progressivement 1 L (4 tasses) de sucre de confiserie tout en battant. Le glaçage doit être lisse et former des pics bien fermes.

Sur une planche à découper, déposer une bande de glaçage de 23 cm de long et y enfoncer un des murs de côté afin qu'il adhère et puisse tenir debout. Prendre un mur d'extrémité et en glacer les deux côtés. Déposer alors une nouvelle bande de glaçage sur la planche, à angle droit du premier mur, et y enfoncer le mur d'extrémité. Répéter ces étapes avec les deux autres murs, jusqu'à ce que tous les murs soient montés. Laisser sécher la maison (sans toit) pendant au moins 2 heures, jusqu'à ce que le glaçage ait bien durci.
Déposer une épaisse bande de glaçage sur le dessus des murs, et positionner les morceaux du toit; le toit devrait dépasser pour former l'avant-toit. Déposer une petite quantité de glaçage sur les arêtes du toit en pressant, afin de maintenir ensemble les différents morceaux. Laisser sécher le tout pendant ½ heure.

Pour procéder au montage de la cheminée, à l'aide du glaçage, fixer un des panneaux coupés en angle sur un des rectangles du toit, perpendiculairement au faîte du toit.
« Coller » le grand rectangle au morceau qui vient d'être fixé, puis « coller » le deuxième morceau en angle. Terminer par « coller » le petit rectangle. Dissimuler les petites erreurs à l'aide du glaçage.

Laisser la maison sécher afin qu'elle soit bien solide, de préférence toute la nuit.
Lorsqu'elle est prête à être décorée, préparer le reste du glaçage. Dans un grand bol, battre 4 blancs d'œuf au fouet et ajouter le reste du sucre de confiserie, en procédant de la même façon que la première fois. Utiliser le nouveau glaçage pour imiter la neige sur le toit, et décorer la maison à votre goût.

Boules de neige

250 ml (1 tasse) de beurre
125 ml (½ tasse) de sucre de confiserie
5 ml (1 c. à thé) d'extrait de vanille`
500 ml (2 tasses) de farine tout-usage, tamisée
250 ml (1 tasse) de pacanes finement hachées
1 ml (¼ de c. à thé) de sel
125 ml (½ tasse) de sucre de confiserie pour décorer
Granules décoratives pour la pâtisserie (facultatif)

Préchauffer le four à 180 °C (350 °F).
Dans un grand bol, battre en crème le beurre, 125 ml (½ tasse) de sucre de confiserie et la vanille.
Incorporer la farine, les pacanes et le sel; bien mélanger. Faire des petites boules de 2,5 cm (1 po) de diamètre et les déposer sur une plaque à biscuits non graissée.
Faire cuire au four 12 à 15 minutes, en veillant à ce que les biscuits ne brunissent pas.
Rouler les biscuits dans le sucre de confiserie pendant qu'ils sont encore chauds, puis dans les granules décoratives, si désiré.

Donne 4 douzaines de biscuits

Biscuits au chocolat blanc et aux canneberges

125 ml (½ tasse) de beurre ramolli
125 ml (½ tasse) de cassonade, bien tassée
125 ml (½ tasse) de sucre blanc
1 œuf
15 ml (1 c. à table) de vanille
375 ml (1½ tasse) de farine tout-usage
2 ml (½ c. à thé) de bicarbonate de soude
175 ml (¾ de tasse) de pépites de chocolat blanc
250 ml (1 tasse) de canneberges séchées

Préchauffer le four à 190 °C (375 °F). Graisser des plaques à biscuits.
Dans un grand bol, battre en crème le beurre, la cassonade et le sucre jusqu'à obtention d'une préparation lisse. Incorporer l'œuf et la vanille en continuant de battre. Combiner la farine et le bicarbonate de soude et les ajouter à la préparation sucrée.
Incorporer les pépites de chocolat et les canneberges. Déposer la pâte par cuillerées combles sur les plaques à biscuits. Faire cuire au four 8 à 10 minutes. Laisser les biscuits tiédir pendant 1 minute sur les plaques avant de les mettre à refroidir sur une grille.

Donne 2 douzaines de biscuits

Petites couronnes

125 ml (½ tasse) de beurre non salé
1 L (4 tasses) de mini guimauves
(ou 40 grosses guimauves)
7 ml (1½ c. à thé) de colorant alimentaire liquide, vert
2 ml (½ c. à thé) d'extrait d'amande
2 ml (½ c. à thé) d'extrait de vanille
1 L (4 tasses) de flocons de maïs
1 sachet de 65 g (2¼ oz) de bonbons mous aux fruits
sans arôme artificiel

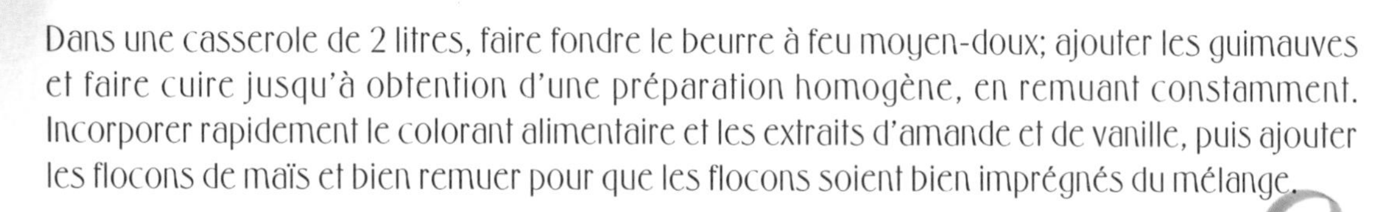

Dans une casserole de 2 litres, faire fondre le beurre à feu moyen-doux; ajouter les guimauves et faire cuire jusqu'à obtention d'une préparation homogène, en remuant constamment. Incorporer rapidement le colorant alimentaire et les extraits d'amande et de vanille, puis ajouter les flocons de maïs et bien remuer pour que les flocons soient bien imprégnés du mélange.

Déposer des cuillerées à table combles de préparation sur du papier ciré ou du papier d'aluminium vaporisé d'un enduit végétal. Travailler rapidement pour éviter que le mélange ne

durcisse avant de lui avoir donné la forme souhaitée. Se graisser les mains avec du beurre, puis façonner de petites couronnes.

Décorer à l'aide des bonbons rouges pimentés.

Une fois les couronnes sèches, les attacher ensemble avec du fil de nylon ou du ruban doré et en décorer l'arbre de Noël.

Donne 3 douzaines de biscuits

Gâteau de Noël aux fruits

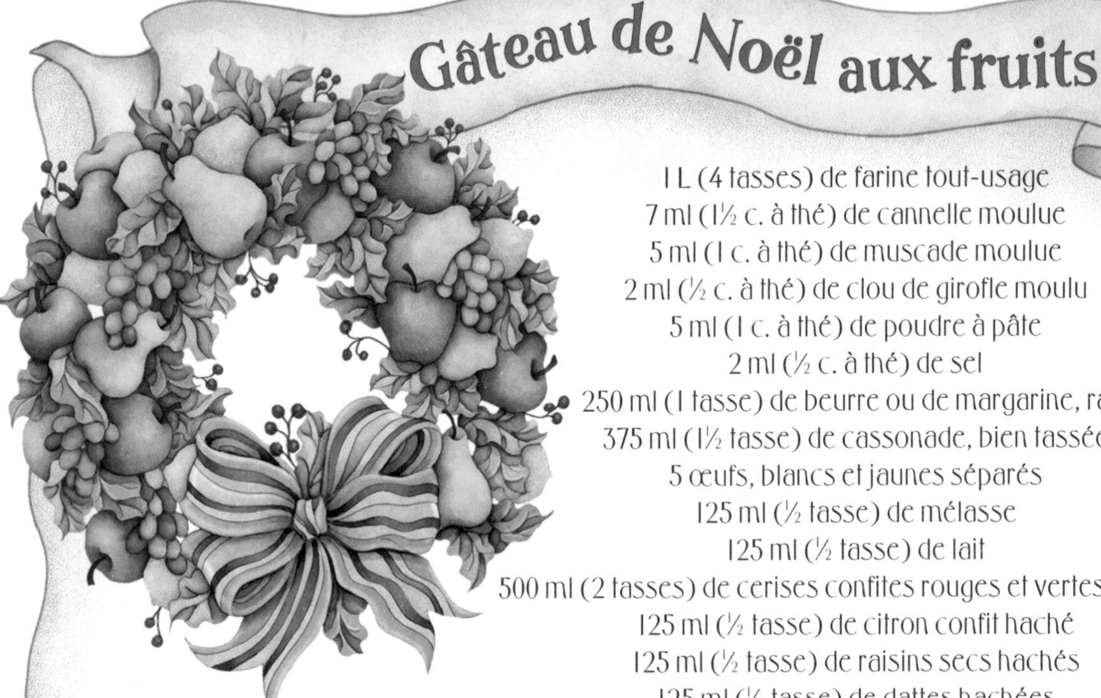

1 L (4 tasses) de farine tout-usage
7 ml (1½ c. à thé) de cannelle moulue
5 ml (1 c. à thé) de muscade moulue
2 ml (½ c. à thé) de clou de girofle moulu
5 ml (1 c. à thé) de poudre à pâte
2 ml (½ c. à thé) de sel
250 ml (1 tasse) de beurre ou de margarine, ramolli(e)
375 ml (1½ tasse) de cassonade, bien tassée
5 œufs, blancs et jaunes séparés
125 ml (½ tasse) de mélasse
125 ml (½ tasse) de lait
500 ml (2 tasses) de cerises confites rouges et vertes, hachées
125 ml (½ tasse) de citron confit haché
125 ml (½ tasse) de raisins secs hachés
125 ml (½ tasse) de dattes hachées
125 ml (½ tasse) de noix de Grenoble hachées

Préchauffer le four à 160 °C (325 °F).
Graisser deux moules à pain de 23 cm x 13 cm x 8 cm (9 po x 5 po x 3 po) ou deux moules à gâteau cannelés d'une contenance de 6 tasses chacun.

Tamiser ensemble la farine, la cannelle, la muscade, le clou de girofle, la poudre à pâte et le sel. Dans un grand bol, battre en crème le beurre et le sucre avec un batteur à main, à puissance moyenne, jusqu'à obtention d'une préparation légère et mousseuse. Incorporer les jaunes d'œuf en battant, un à la fois. Verser la mélasse et le lait, puis ajouter le mélange farine/épices petit à petit, en battant bien après chaque addition.

Dans un autre bol, battre les blancs en neige ferme avec des fouets métalliques propres. Les incorporer à la préparation en pliant délicatement la pâte. Ajouter les fruits et les noix et mélanger doucement à la main jusqu'à obtention d'une préparation homogène. Répartir la pâte dans les deux moules de manière égale.

Faire cuire au four 1 heure si vous utilisez des moules à gâteau cannelés, et 65 à 70 minutes dans le cas des moules à pain. Vérifier la cuisson en insérant un cure-dent au centre des gâteaux. Laisser les gâteaux tiédir dans leur moule pendant 15 minutes, puis les démouler et les mettre à refroidir sur une grille.
Lorsque les gâteaux ont refroidi, les napper si désiré d'un glaçage au bourbon.

Donne 10 à 12 portions

Délices au chocolat et aux pacanes

2 œufs
125 ml (½ tasse) de farine tout usage, non tamisée
125 ml (½ tasse) de sucre
125 ml (½ tasse) de cassonade
250 ml (1 tasse) de beurre fondu, tiède
1 sachet de 175 g (6 oz) de pépites de chocolat (l'équivalent d'une tasse)
250 ml (1 tasse) de pacanes hachées
2 croûtes de tarte de 20 cm (8 po), non cuites

Préchauffer le four à 160 °C (325 °F).
Dans un grand bol, battre les œufs jusqu'à obtention d'un mélange mousseux. Ajouter la farine, le sucre et la cassonade en continuant de battre, jusqu'à obtention d'un mélange homogène. Incorporer le beurre à la préparation. Ajouter les pépites de chocolat et les pacanes et remuer. Verser la préparation dans les croûtes de tarte et faire cuire au four 1 heure.

Donne 2 tartes

Lait de poule de Noël

6 gros œufs, jaunes et blancs séparés
175 ml (¾ de tasse) de sucre
1 L (4 tasses) de lait
1 L (4 tasses) de crème
Une petite quantité de crème glacée à la vanille, au goût
125 ml (½ tasse) de sucre à glacer
1 c. à thé d'essence de vanille

Dans un grand bol, battre les jaunes d'œuf; ajouter le sucre petit à petit jusqu'à obtention d'un mélange homogène. Conserver au frais jusqu'au moment de servir.

Juste avant de servir, battre les blancs d'œuf en neige ferme et les incorporer en pliant délicatement la préparation. Ajouter la crème glacée à la vanille.
Fouetter le reste de la crème et le sucre à glacer pour obtenir un mélange bien épais.
Décorer chaque verre de lait de poule avec la crème fouettée et saupoudrer d'un soupçon de noix de muscade.

Donne 8 portions

Biscuits-canes

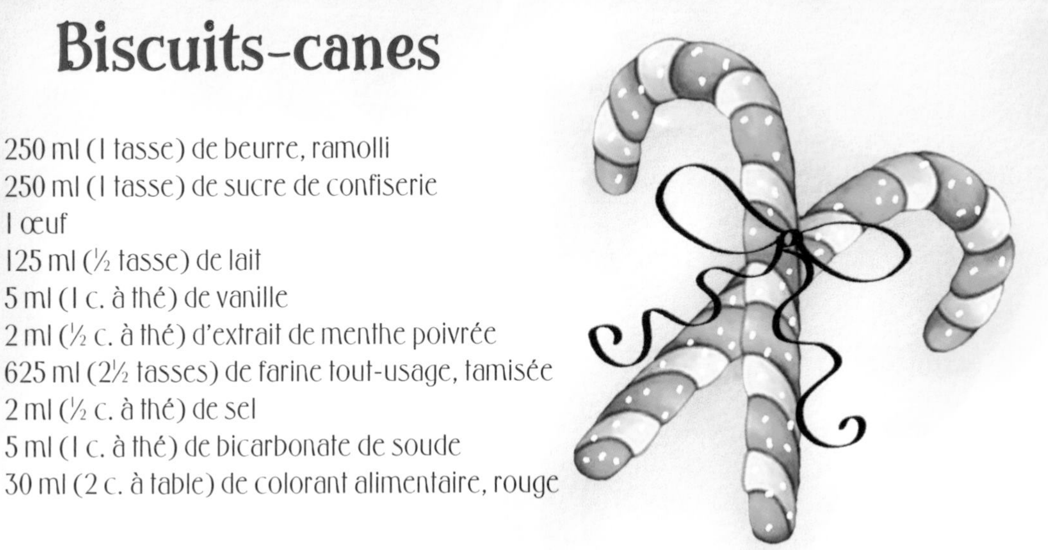

250 ml (1 tasse) de beurre, ramolli
250 ml (1 tasse) de sucre de confiserie
1 œuf
125 ml (½ tasse) de lait
5 ml (1 c. à thé) de vanille
2 ml (½ c. à thé) d'extrait de menthe poivrée
625 ml (2½ tasses) de farine tout-usage, tamisée
2 ml (½ c. à thé) de sel
5 ml (1 c. à thé) de bicarbonate de soude
30 ml (2 c. à table) de colorant alimentaire, rouge

Dans un grand bol, battre en crème le beurre et le sucre jusqu'à obtention d'un mélange léger et mousseux. Ajouter l'œuf, la vanille et l'extrait de menthe tout en continuant de battre.

Dans un deuxième bol, mêler ensemble la farine, le sel et le bicarbonate de soude, puis incorporer ces ingrédients au mélange beurre-sucre. Diviser la pâte en deux et ajouter le colorant alimentaire rouge dans une des moitiés. Placer le tout au réfrigérateur pour une heure.

Préchauffer le four à 190 °C (375 °F).

Déposer une cuillerée de pâte de chaque couleur sur une surface farinée et former des rouleaux de 10 cm (4 po) de long. Placer les rouleaux côte à côte et les tordre ensemble pour former une vrille bicolore.

Placer les vrilles sur une plaque à biscuits non graissée, en les espaçant de 2,5 cm (1 po). Recourber une des extrémités de chaque vrille pour former la poignée de la cane.

Faire cuire au four 9 à 12 minutes. Laisser tiédir les biscuits-canes sur la plaque à biscuits pendant 5 minutes, puis les mettre à refroidir sur une grille.

Donne une douzaine de biscuits

Biscuits de Noël en pain d'épice

1 L (4 tasses) de farine tout-usage
2 ml (½ c. à thé) de bicarbonate de soude
2 ml (½ c. à thé) de sel
2 ml (½ c. à thé) de piment de la Jamaïque (toute-épice), moulu
2 ml (½ c. à thé) de clou de girofle moulu
2 ml (½ c. à thé) de cannelle
2 ml (½ c. à thé) de gingembre moulu
125 ml (½ tasse) de beurre ou de margarine, ramolli(e)
125 ml (½ tasse) de cassonade
75 ml (⅓ de tasse) de mélasse
2 œufs
Raisins secs, pépites de chocolat, morceaux de bonbons, glaçage, etc. pour décorer les biscuits

Préchauffer le four à 180 °C (350 °F).

Dans un bol, combiner la farine, le bicarbonate de soude, le sel, le piment de la Jamaïque, le clou de girofle, la cannelle et le gingembre; réserver.

Dans un grand bol, battre en crème le beurre et la cassonade jusqu'à obtention d'un mélange lisse. Incorporer la mélasse et les œufs, puis le mélange à base de farine. Remuer jusqu'à formation d'une pâte épaisse. Diviser la pâte en deux.

Sur un plan de travail légèrement enfariné, abaisser la pâte jusqu'à une épaisseur de 3 mm (⅛ po). Découper à l'aide des emporte-pièces de votre choix.
Déposer les biscuits en les espaçant de 2,5 cm (1 po) sur une plaque à biscuits non graissée.

Faire cuire au four de 8 à 10 minutes.

Laisser les biscuits tiédir sur la plaque à biscuits pendant 5 minutes avant de les mettre à refroidir sur une grille. Décorer les biscuits de glaçage, de raisins secs, de pépites de chocolat ou de morceaux de bonbons.

Petit marmiton

Découpe la pâte avec ton emporte-pièce préféré. Amuse-toi à décorer les biscuits, une fois refroidis.

L'arrivée des citrouilles annonce incontestablement l'imminence des fêtes de fin d'année. Au milieu de l'automne, le magasin d'alimentation de notre quartier ne manque jamais de créer un magnifique étalage de citrouilles, agrémenté de superbes bouquets saisonniers. En franchissant la porte du supermarché, vos narines s'emplissent des doux effluves de tartes à la citrouille en pleine cuisson. Il n'est pas possible d'en ressortir sans avoir acheté au moins une gourmandise à la citrouille.

Une de mes recettes d'automne préférées est le pain à la citrouille. Mes enfants sont toujours attirés à la cuisine par l'odeur de la cannelle et de la muscade chaudes, avides de voir le délice enfin émerger du four. Je prépare toujours deux pains à la citrouille à la fois. Ainsi, je suis sûre de pouvoir en manger au moins une tranche!

OCCASIONS SPÉCIALES

Rôti de fête

1 rôti de porc avec os de 2,25 kg (5 lb)
8 gousses d'ail, pelées et coupées en demies
50 ml (¼ de tasse) d'eau
45 ml (3 c. à table) de cassonade
1 bocal de 375 ml (12 oz) de cerises au marasquin, avec leur jus
1 sac pour cuisson au four

Préchauffer le four à 180 °C (350 °F).

Rincer le rôti de porc, puis l'éponger avec un essuie-tout. À l'aide d'un couteau tranchant, faire des incisions plus ou moins profondes sur toute la surface du rôti. Y insérer les moitiés de gousses d'ail.

Dans un petit bol, mêler l'eau, la cassonade et les cerises au marasquin avec leur jus.

Mettre le rôti dans le sac pour cuisson, et verser le mélange aux cerises sur le rôti. Sceller le sac et le déposer sur une rôtissoire.

Faire cuire 3 heures, ou jusqu'à ce que la température interne de la viande atteigne au moins 70 °C (160 °F).

Retirer le rôti du sac et le transférer sur un plat de service; le mouiller avec le jus de cuisson.

Laisser reposer 15 minutes avant de découper et de servir.

Donne 6 à 8 portions

Petit marmiton

Viens mesurer la cassonade et l'eau

Dinde rôtie classique

1 dinde de 5,5 kg (12 lb)
175 ml (¾ de tasse) d'huile d'olive
30 ml (2 c. à table) d'ail en poudre
5 ml (1 c. à thé) de sel
2 ml (½ c. à thé) de poivre noir
1,2 l (1¼ pte) d'eau
2 feuilles de laurier
1 oignon coupé en quatre
1 branche de céleri coupée en deux
1 carotte coupé en quatre

Préchauffer le four à 160 °C (325 °F).

Jeter les abattis, rincer la dinde et l'éponger avec un essuie-tout. Déposer la dinde sur la grille de la rôtissoire, la poitrine vers le bas.

Dans un petit bol, combiner l'huile d'olive, l'ail en poudre, le sel et le poivre; badigeonner la dinde avec la préparation.

Ajouter le laurier et les légumes sur la dinde et à l'intérieur.

Verser 500 ml (2 tasses) d'eau dans le fond de la rôtissoire et couvrir.

Mouiller la volaille toutes les 30 minutes. Si le jus s'évapore complètement, rajouter 1 à 2 tasses d'eau à la fois.

Faire cuire 3 heures à 3½ heures, ou jusqu'à ce que la température de la chair de la partie la plus épaisse de la cuisse atteigne 82 °C (180 °F).

Sortir la dinde du four et la laisser reposer environ 30 minutes avant de la découper.

Donne 12 à 16 portions

Pâté à la dinde

300 g (10 oz) de petits pois et carottes surgelés
30 ml (2 c. à table) de beurre
30 ml (2 c. à table) de farine
75 ml (1/3 de tasse) d'oignon, haché
2 ml (1/2 c. à thé) de sel
1 ml (1/4 de c. à thé) de poivre
425 ml (1 3/4 tasse) de bouillon de dinde
150 ml (2/3 tasse) de lait
500 ml (2 tasses) de dinde cuite, coupée en dés
1 petite pomme de terre cuite, coupée en dés
De la pâte pour une tarte à deux croûtes de 23 cm (9 po)

Préchauffer le four à 190 °C (375 °F).

Rincer les petits pois et les carottes à l'eau froide pour les détacher; égoutter et réserver.

Dans une casserole de 2 litres, faire fondre le beurre à feu moyen. Ajouter la farine, l'oignon, le sel et le poivre. Faire cuire en remuant constamment, jusqu'à ce que la préparation forme des bulles. Ajouter alors le bouillon et le lait. Amener à ébullition tout en remuant, puis poursuivre la cuisson pendant 1 minute. Ajouter la dinde, les petits pois, les carottes et la pomme de terre.

Retirer du feu et laisser refroidir. Verser la préparation dans une des croûtes de tarte. Recouvrir avec l'autre croûte, puis sceller en pinçant les bords. Faire quelques incisions au centre de la croûte du dessus du pâté.

Faire cuire au four environ 35 minutes, ou jusqu'à ce que la croûte soit bien dorée.

Donne 4 à 6 portions

Remarque : Une recette qui permet d'accommoder les restes de dinde.

Petit marmiton

Rince les petits pois et les carottes surgelés pour qu'ils se détachent; égoutte-les bien.

Petits pains mexicains au maïs

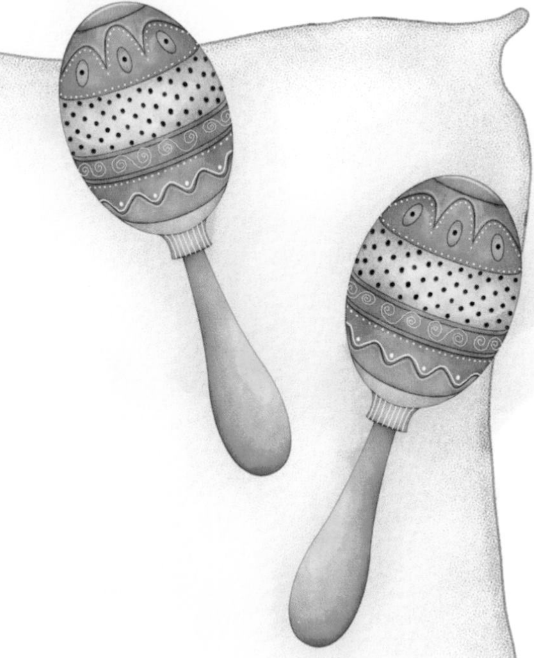

500 ml (2 tasses) de farine de maïs auto-levante
3 œufs, battus
250 ml (1 tasse) de babeurre
1 gros oignon, haché
1 poivron vert, haché
1 poivron rouge, haché
250 ml (1 tasse) de fromage cheddar, râpé
Sauce pimentée, au goût
1 boîte de maïs crème en conserve

Préchauffer le four à 180 °C (350 °F).
Dans un grand bol, mêler ensemble tous les ingrédients jusqu'à obtention d'un mélange homogène.
Verser le mélange dans des moules à muffins graissés. Faire cuire au four 45 minutes.

Donne 18 petits pains

Carottes beurre-cannelle

9 petites carottes, épluchées
15 ml (1 c. à table) de beurre fondu
15 ml (1 c. à table) de cassonade
2 ml (½ c. à thé) de sel
un soupçon de cannelle
45 ml (3 c. à table) d'eau bouillante

Préchauffer le four à 180 °C (350 °F).
Mettre les carottes dans un plat de cuisson en verre d'un litre.
Dans un petit bol, combiner le beurre, le sucre, le sel, la cannelle et l'eau. Verser le mélange sur les carottes.
Couvrir et faire cuire au four 1¼ heure, ou jusqu'à ce que les carottes soient tendres.

Donne 4 portions

Haricots verts à l'aneth

1,5 l (6 tasses) d'eau
1 paquet de 500 g (16 oz) de haricots verts entiers surgelés, décongelés
30 ml (2 c. à table) d'huile d'olive extra vierge
30 ml (2 c. à table) de vinaigre de cidre
50 ml (¼ de tasse) d'oignons verts, finement hachés
30 ml (2 c. à table) d'aneth frais, haché
1 ml (¼ de c. à thé) de sel
1 ml (¼ de c. à thé) de poivre

Amener l'eau à ébullition dans une grande casserole; ajouter les haricots verts et les faire cuire environ 10 minutes, ou jusqu'à ce qu'ils soient tendres.
Dans un petit bol, battre ensemble au fouet l'huile d'olive, le vinaigre, les oignons verts, l'aneth, le sel et le poivre. Une fois cuits, égoutter les haricots verts et les déposer dans un plat de service. Verser la sauce sur les haricots puis brasser doucement pour la répartir uniformément.

Donne 6 à 8 portions

Pommes de terre rôties aux herbes

7 ou 8 pommes de terre rouges nouvelles
Huile d'olive
2 gousses d'ail, finement hachées
2 ml (½ c. à thé) de sel
2 ml (½ c. à thé) de poivre
30 ml (2 c. à table) d'herbes de Provence

Préchauffer le four à 180 °C (350 °F).
Laver les pommes de terre et les couper en quatre.
Les déposer dans un plat de cuisson de 33 x 23 x 5 cm (13 x 9 x 2 po).
Les arroser d'un peu d'huile d'olive, puis les saupoudrer d'ail, de sel, de poivre noir et d'herbes de Provence. Remuer.
Cuire au four 1 heure.

Donne 4 à 6 portions

Purée de courge à la crème, au four

1 courge ou 1 citrouille de 675 g (1½ lb), coupée en cubes
15 ml (1 c. à table) d'huile d'olive
375 ml (1½ tasse) d'oignons jaunes, hachés
5 ml (1 c. à thé) de sel
3 gousses d'ail moyennes, hachées
2 ml (½ c. à thé) de poivre noir
1 ml (¼ de c. à thé) de poivre de Cayenne
125 ml (½ tasse) de yogourt nature (non liquide)
250 ml (1 tasse) de fromage cottage

Mettre la courge dans un chaudron de taille moyenne et la recouvrir d'eau. Faire cuire à feu moyen pendant 20 minutes, jusqu'à ce que la courge soit tendre.

Préchauffer le four à 190 °C (375 °F).
Transférer la courge cuite dans un grand bol et l'écraser en purée.

Faire chauffer l'huile d'olive dans une poêle de taille moyenne. Ajouter les oignons et saler. Faire revenir les oignons à feu moyen jusqu'à ce qu'ils soient dorés et ramollis, environ 5 minutes. Ajouter l'ail, le poivre noir et le poivre de Cayenne et poursuivre la cuisson pendant 2 à 3 minutes de plus. Incorporer le mélange d'oignons et d'épices dans la purée de courge, ainsi que le yogourt et le fromage cottage.
Bien remuer.

Verser la préparation dans un plat de cuisson carré de 23 cm (9 po), non graissé.

Cuire au four à découvert de 25 à 30 minutes, ou jusqu'à ce que des bulles se forment à la surface du mélange.

Donne 5 portions

Utilise un pilon à pommes de terre pour bien réduire la courge en purée.

Tarte aux pommes et à la crème sure

175 ml (¾ de tasse) de sucre
30 ml (2 c. à table) de farine tout-usage
250 ml (1 tasse) de crème sure
1 œuf
2 ml (½ c. à thé) de vanille
0,5 ml (⅛ de c. à thé) de sel
500 ml (2 tasses) de pommes tendres, coupées en fines tranches
1 croûte de tarte, non cuite

Garniture :
75 ml (1/3 de tasse) de sucre
5 ml (1 c. à thé) de cannelle
75 ml (1/3 de tasse) de farine tout-usage
50 ml (¼ de tasse) de beurre

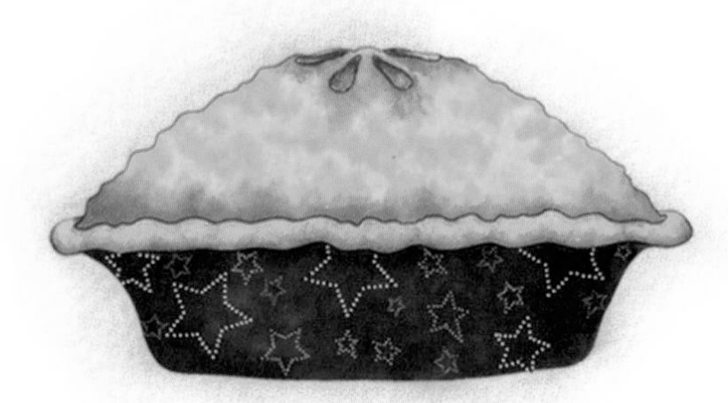

Préchauffer le four à 220 °C (425 °F).

Dans un grand bol, combiner le sucre et la farine. Ajouter la crème sure, l'œuf, la vanille et le sel en remuant. Incorporer les pommes en pliant délicatement la pâte, puis verser le tout dans la croûte de tarte non cuite.
Faire cuire au four 20 minutes.

Pour préparer la garniture, combiner les trois premiers ingrédients dans un bol moyen. Découper le beurre en petits morceaux et les saupoudrer sur le dessus.
Baisser la température du four à 160 °C (325 °F) et poursuivre la cuisson de la tarte 20 minutes de plus.

Donne 6 à 8 portions

Purée de citrouille

Pour vos recettes à base de purée de citrouille, vous pouvez utiliser la purée en conserve ou la faire vous-même, ce qui vous permettra d'en utiliser une partie et de congeler le reste pour l'hiver.

Découper la citrouille en morceaux, enlever les fibres dures et les graines.

Conserver l'écorce pour la durée de la cuisson, elle est ensuite plus facile à enlever.

Cuire à la vapeur les morceaux de citrouille, jusqu'à ce que la pulpe soit tendre. Vous pouvez aussi les faire bouillir dans un peu d'eau, le couvercle fermé. Surveiller la perte d'eau, cela peut coller rapidement.

Égoutter et retirer la pulpe de la citrouille, la réduire en purée avec un pilon ou un robot culinaire.

Cette purée se conservera durant une semaine au réfrigérateur ou plusieurs mois au congélateur.

Graines de citrouille grillées

Bien laver les graines et les éponger.
Étaler les graines sur une plaque à biscuits.
Vaporiser les graines légèrement d'huile végétale.
Les remuer, afin qu'elles soient bien enrobées d'huile.

Mettre au four à 180° C (350° F) environ 10 minutes

Tarte d'automne

300 ml (1¼ tasse) de purée de citrouille
50 ml (¼ de tasse) de cassonade
125 ml (½ tasse) de sucre
2 ml (½ c. à thé) de sel
1 ml (¼ de c. à thé) de gingembre moulu
5 ml (1 c. à thé) de cannelle moulue
2 ml (½ c. à thé) de muscade moulue
5 ml (1 c. à thé) de farine tout-usage
2 œufs, battus
250 ml (1 tasse) de lait concentré non sucré
30 ml (2 c. à table) d'eau
2 ml (½ c. à thé) d'extrait de vanille
1 croûte de tarte de 23 cm (9 po), non cuite

Préchauffer le four à 200 °C (400 °F).

Dans un grand bol, mêler ensemble la purée de citrouille, le sucre, la cassonade, le sel, les épices et la farine. Ajouter les œufs battus, bien mélanger.
Incorporer le lait concentré, l'eau et l'extrait de vanille et mélanger de nouveau.

Verser la préparation dans un moule à gâteau tapissé de papier parchemin.
Faire cuire au four environ 15 minutes.
Baisser la température à 180 °C (350 °F) et faire cuire pendant 35 minutes de plus, ou jusqu'à ce que le centre de la tarte ait bien pris.

Donne 8 portions

P'tites têtes de citrouille

500 ml (2 tasses) de farine tout-usage
10 ml (2 c. à thé) de poudre à pâte
5 ml (1 c. à thé) de bicarbonate de soude
10 ml (2 c. à thé) de cannelle moulue
10 ml (2 c. à thé) de muscade moulue
2 œufs battus
250 ml (1 tasse) de purée de citrouille
175 ml (¾ de tasse) de sucre
500 ml (2 tasses) de compote de
    pommes, non sucrée
30 ml (2 c. à table) d'huile végétale
5 ml (1 c. à thé) d'extrait d'amande
125 ml (½ tasse) de noix de Grenoble hachées (facultatif)

Préchauffer le four à 180 °C (350 °F).

Dans un bol moyen, mêler ensemble la farine, la poudre à pâte, le bicarbonate de soude, la cannelle et la muscade. Réserver.

Dans un grand bol, combiner les œufs battus, la purée de citrouille, le sucre, la compote de pommes, l'huile, l'extrait d'amande et les noix.

Incorporer progressivement la préparation de farine à celle de la citrouille en mélangeant juste ce qu'il faut. Ne pas trop mélanger.

Déposer le mélange à la cuillère dans des moules à muffins antiadhésifs.

Faire cuire au four de 25 à 30 minutes.

Donne 18 muffins

Pain à la citrouille

750 ml (3 tasses) de sucre
250 ml (1 tasse) d'huile végétale
4 œufs
500 ml (2 tasses) de purée de citrouille, en conserve nature (voir page 141) ou congelée
875 ml (3½ tasses) de farine tout-usage
7 ml (1½ c. à thé) de sel
5 ml (1 c. à thé) de cannelle
5 ml (1 c. à thé) de muscade
10 ml (2 c. à thé) de bicarbonate de soude
150 ml (⅔ tasse) d'eau
250 ml (1 tasse) de pacanes hachées

Préchauffer le four à 180 °C (350 °F).

Verser le sucre et l'huile dans le bol du mélangeur et mêler le tout à faible puissance. Incorporer les œufs un à un, puis ajouter la citrouille et bien mélanger.

Dans un autre bol, combiner les ingrédients secs, sauf les pacanes hachées. Ajouter progressivement le mélange sec à la préparation à la citrouille, en alternant avec l'eau et en terminant par quelques cuillerées d'ingrédients secs. Incorporer les pacanes hachées en pliant délicatement la pâte.

Verser la pâte dans un grand moule à pain, bien graissé. Faire cuire au four 1 heure.

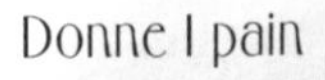

Donne 1 pain

Biscuits sucrés d'Halloween

675 ml (2¾ tasses) de farine tout-usage
5 ml (1 c. à thé) de bicarbonate de soude
2 ml (½ c. à thé) de poudre à pâte
300 ml (1¼ tasse) de beurre ou de
margarine, ramolli(e)
375 ml (1½ tasse) de sucre
1 ml (¼ de c. à thé) de sel
2 gros jaunes d'œuf
7 ml (1½ c. à thé) de vanille
Dorure à l'œuf (battre un blanc d'œuf légèrement avec 10 ml (2 c. à thé) d'eau)
Granules décoratives orange

Dans un petit bol, mêler ensemble la farine, le bicarbonate de soude et la poudre à pâte; réserver.
Dans un grand bol, battre en crème le beurre et le sucre à l'aide d'un batteur, jusqu'à obtention d'une préparation légère et mousseuse.
Ajouter le sel, les jaunes d'œuf et la vanille, et battre de nouveau jusqu'à obtention d'une préparation lisse.
Ajouter les ingrédients secs du premier bol dans la préparation et battre jusqu'à ce que le tout soit bien homogène.
Séparer la pâte en quatre morceaux égaux.
Aplatir les morceaux en forme de disques; les envelopper d'une pellicule plastique et les placer au réfrigérateur pour environ 1 heure, ou jusqu'à ce que la pâte soit bien ferme.
Préchauffer le four à 190 °C (375 °F).
Abaisser la pâte entre deux feuilles de papier ciré, pour obtenir une épaisseur de 6 mm (¼ po) pour des biscuits croustillants, ou 8 mm (⅓ po) pour des biscuits plus tendres.
Découper la pâte à l'aide d'emporte-pièces au thème d'Halloween et déposer les biscuits sur une plaque à biscuits non graissée, en les espaçant de 2,5 cm (1 po) environ.
Badigeonner légèrement les biscuits avec la préparation à l'œuf et les saupoudrer de granules décoratives.
Faire cuire au four de 7 à 8 minutes, ou jusqu'à ce que les bords des biscuits commencent à peine à dorer. (Pour des biscuits plus tendres, sortir les biscuits du four avant qu'ils ne commencent à dorer).
Sortir les biscuits du four, les laisser tiédir pendant 1 minute, puis les mettre à refroidir sur une grille.

Donne environ 2 douzaines de biscuits

Biscuits des amoureux

1 œuf
75 ml (1/3 de tasse) de lait
50 ml (1/4 de tasse) de compote de pommes
30 ml (2 c. à table) de beurre ou de margarine, fondu(e)
5 ml (1 c. à thé) d'extrait d'amande
500 ml (2 tasses) de farine tout-usage
75 ml (1/3 de tasse) de sucre
15 ml (1 c. à table) de poudre à pâte
2 ml (1/2 c. à thé) de sel
125 ml (1/2 tasse) d'amandes effilées
30 ml (2 c. à table) de confiture de fraise ou de framboise
Sucre à glacer

Préchauffer le four à 200 °C (400 °F). Graisser une plaque à biscuits.

Dans un bol moyen, battre légèrement l'œuf. Incorporer le lait, la compote de pommes, le beurre et l'extrait d'amande. Ajouter la farine, le sucre, la poudre à pâte, le sel et les amandes effilées; mélanger jusqu'à ce que la préparation soit uniformément mouillée.

Séparer la pâte en 9 parts égales. Déposer les morceaux de pâte sur la plaque à biscuits, espacés de 7,5 cm (3 po) environ. Se saupoudrer les doigts de farine, puis façonner des cœurs d'à peu près 7,5 cm (3 po) de large et 1 cm (1/2 po) de haut. Creuser un puits au centre de chaque cœur et le remplir de 2 ml (1/2 c. à thé) environ de confiture.

Faire cuire au four de 12 à 15 minutes, ou jusqu'à ce que les biscuits soient bien dorés. Les transférer sur une grille. Saupoudrer les biscuits de sucre à glacer à la sortie du four. Servir.

Petit marmiton

À l'aide d'une cuillère à thé, remplis le centre de chaque cœur avec de la confiture de fraise ou de framboise.

Donne 9 biscuits

Coeurs en chocolat

375 ml (1½ tasse) de cassonade
150 ml (⅔ tasse) de shortening Crisco
15 ml (1 c. à table) d'eau
5 ml (1 c. à thé) de vanille
2 œufs
375 ml (1½ tasse) de farine tout-usage
75 ml (⅓ de tasse) de poudre de cacao
1 ml (¼ de c. à thé) de bicarbonate de soude
2 ml (½ c. à thé) de sel
500 ml (2 tasses) de mini pépites de chocolat noir, semi-sucrées
125 ml (½ tasse) de pépites de chocolat blanc
Cerises rouges confites

Préchauffer le four à 190 °C (375 °F). Disposer des feuilles de papier d'aluminium sur le comptoir pour faire tiédir les cœurs en chocolat une fois qu'ils seront sortis du four.

Dans un grand bol, combiner la cassonade, le shortening, l'eau et la vanille; bien mélanger. Incorporer les blancs dans la préparation crémeuse en battant.
Dans un autre bol, combiner la farine, la poudre de cacao, le bicarbonate de soude et le sel. Incorporer le mélange sec dans la préparation crémeuse et remuer jusqu'à obtention d'un mélange homogène. Verser les mini pépites de chocolat noir dans le mélange.

Séparer la pâte en deux parts égales. La verser dans deux moules à gâteaux ronds non graissés de 20 cm (8 po). Faire cuire au four de 10 à 12 minutes, un gâteau à la fois. Ne pas faire trop cuire. Une fois sorti du four, laisser le gâteau tiédir dans le moule pendant 5 minutes.

Découper à l'aide d'un emporte-pièce en forme de cœur de 5 cm (2 po), en veillant à orienter la pointe du cœur vers le centre du gâteau, pour obtenir 12 cœurs. Transférer les cœurs sur les feuilles d'aluminium pour qu'ils refroidissent complètement.
Mettre les pépites de chocolat blanc dans un bol peu profond pouvant aller au four à micro-ondes et faire cuire à puissance ÉLEVÉE pendant 30 secondes; remuer. Répéter l'opération jusqu'à ce que le chocolat ait fondu, puis en napper les cœurs refroidis. Terminer en décorant chaque cœur avec une cerise rouge confite. Laisser sécher le nappage au chocolat.

Donne une douzaine de cœurs

Scones irlandais

125 ml (½ tasse) de beurre
500 ml (2 tasses) de farine tout-usage
10 ml (2 c. à thé) de poudre à pâte
2 ml (½ c. à thé) de sel
125 ml (½ tasse) de sucre
175 ml (¾ de tasse) de raisins secs, de
dattes ou d'autres fruits secs
2 œufs
125 ml (½ tasse) de lait, plus
15 ml (1 c. à table)

Préchauffer le four à 180 °C (350 °F).

Dans un grand bol, combiner le beurre et la farine jusqu'à obtention d'un mélange granuleux. Ajouter la poudre à pâte, le sel, le sucre et les raisins; bien mélanger.

Dans un autre bol, battre ensemble 1 œuf et 125 ml (½ tasse) de lait. Incorporer la farine progressivement jusqu'à formation d'une pâte épaisse. Travailler la pâte à la main, si nécessaire.

Séparer la pâte en 12 morceaux; les déposer sur une plaque à biscuits non graissée.

Dans un petit bol, battre ensemble le deuxième œuf et la cuillère à table de lait. Badigeonner légèrement chaque boule de pâte avec la préparation à l'œuf.

Faire cuire au four de 20 à 25 minutes, ou jusqu'à ce que les scones soient légèrement dorés.

Donne 12 scones

Petit marmiton

Badigeonne chaque morceau de pâte avec la préparation à l'œuf avant de mettre le tout au four.

Trèfles d'Irlande

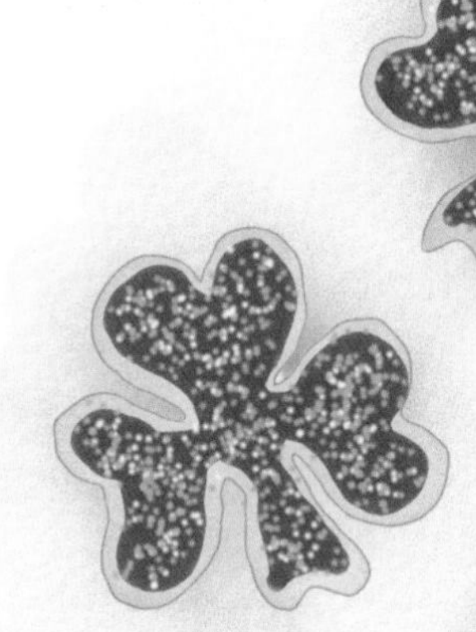
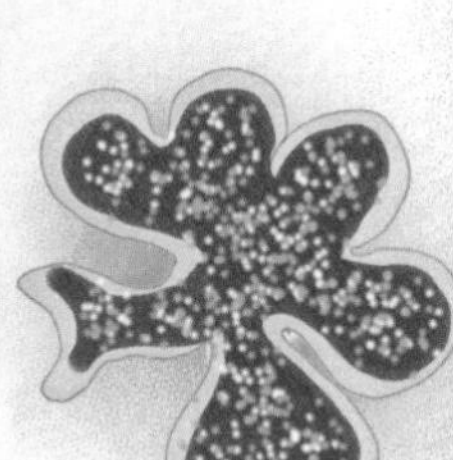

250 ml (1 tasse) de beurre, ramolli
375 ml (1½ tasse) de sucre en poudre
1 œuf
10 ml (2 c. à thé) d'extrait de vanille
5 ml (1 c. à thé) de crème de tartre
1 ml (¼ de c. à thé) de muscade moulue
625 ml (2½ tasses) de farine tout-usage
5 ml (1 c. à thé) de bicarbonate de soude

Préchauffer le four à 190 °C (375 °F). Graisser une plaque à biscuits.

Dans un grand bol, travailler ensemble le beurre et le sucre en crème légère et mousseuse. Ajouter l'œuf, la vanille, la crème de tartre et la muscade moulue; bien mélanger.
Combiner la farine avec le bicarbonate de soude. Incorporer petit à petit dans le mélange beurre-sucre. Placer la pâte au réfrigérateur.
Rouler la pâte sur le dessus légèrement enfariné d'un plan de travail, de façon à obtenir une épaisseur de 3 mm (⅛ po).
Découper la pâte à l'aide d'un emporte-pièce en forme de trèfle.
Faire cuire au four de 8 à 10 minutes, ou jusqu'à ce que les biscuits soient bien dorés.
Transférer les biscuits sur une grille et les laisser refroidir complètement avant de les décorer avec un glaçage vert au sucre.

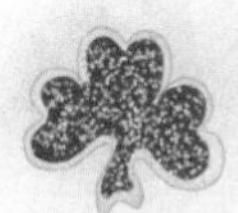
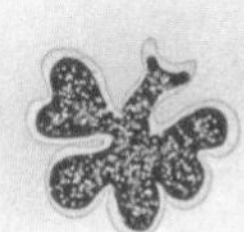
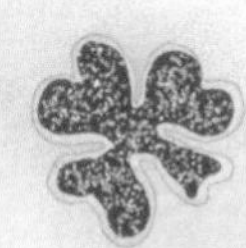
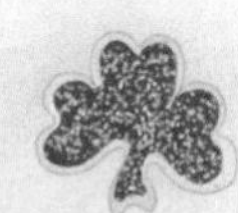
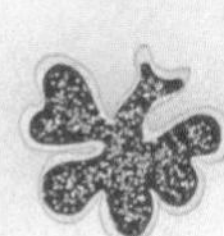
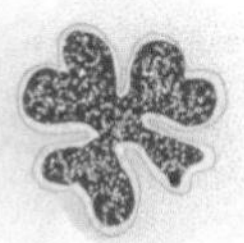

Glaçage vert :
10 gouttes de colorant alimentaire vert
10 à 15 ml (2 à 3 c. à thé) de lait
125 ml (½ tasse) de sucre en poudre

Dans un petit bol, mélanger les gouttes de colorant alimentaire avec le lait.
Ajouter le sucre en remuant, jusqu'à ce que la couleur soit uniformément répartie et que la préparation soit lisse.

Donne environ une douzaine de biscuits

Crevettes tigrées grillées au citron et à l'ail

675 g (1½ lb) de crevettes tigrées, décortiquées et déveinées
250 ml (1 tasse) de beurre
5 ml (1 c. à thé) d'ail finement haché
23 ml (1½ c. à table) de jus de citron
45 ml (3 c. à table) de parmesan râpé

Préchauffer le four en position grilloir.

À l'aide d'un couteau coupant, retirer la queue des crevettes; faire une large incision sur le ventre et rabattre les deux côtés (en papillon). Disposer les crevettes sur une lèchefrite.

Dans une petite casserole, faire fondre le beurre avec l'ail et le jus de citron.

Verser 50 ml (¼ de tasse) du mélange dans un petit bol et en badigeonner les crevettes.

Saupoudrer les crevettes de parmesan.

Placer la lèchefrite sur la grille supérieure du four. Faire griller les crevettes de 4 à 5 minutes, ou jusqu'à ce qu'elles soient cuites. Servir avec le reste de la sauce au beurre en guise de trempette.

Donne 6 portions

Remarque: Une très bonne idée d'entrée lors d'occasions spéciales.

Gigot d'agneau au romarin

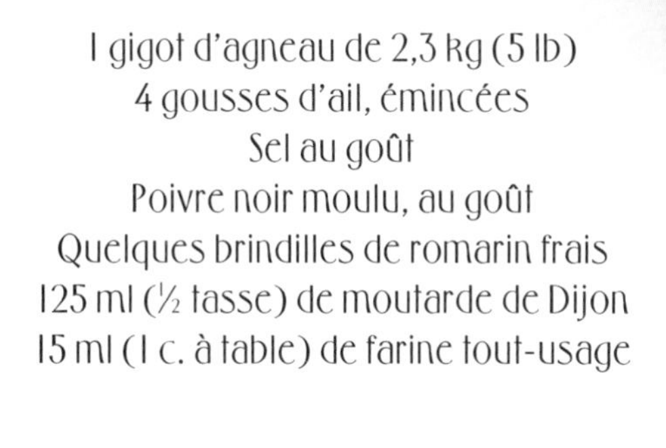

1 gigot d'agneau de 2,3 kg (5 lb)
4 gousses d'ail, émincées
Sel au goût
Poivre noir moulu, au goût
Quelques brindilles de romarin frais
125 ml (½ tasse) de moutarde de Dijon
15 ml (1 c. à table) de farine tout-usage

Préchauffer le four à 160 °C (325 °F).

Inciser le dessus du gigot tous les 8 à 10 cm (3 à 4 po), puis insérer les gousses d'ail dans les entailles. Assaisonner généreusement le dessus du gigot avec du sel et du poivre.

Disposer quelques brindilles de romarin frais au-dessous et sur le dessus du gigot. Badigeonner de moutarde et saupoudrer le tout d'une fine couche de farine.

Faire cuire à découvert, jusqu'à ce que la viande soit entre « à point » et « bien cuite », ou qu'elle ait atteint le degré de cuisson souhaité (compter environ 20 minutes par livre pour obtenir un gigot à point). Utiliser le jus de cuisson pour faire une sauce en y ajoutant un peu de farine et d'eau.

Donne 12 portions

Lapin de Pâques

1 paquet de votre mélange à gâteau préféré (prévoir de l'eau, des œufs, et de l'huile, selon les instructions de l'emballage).
500 ml (2 tasses) de crémage blanc ou au beurre
750 ml (3 tasses) de noix de coco râpée
Colorant alimentaire rouge
Colorant alimentaire vert
Assortiment de bonbons pour décorer le gâteau (par exemple des amandes, des noisettes, des bonbons en gelée, des bâtons de réglisse noirs ou rouges, des mini pépites de chocolat)

Faire cuire la pâte à gâteau selon les instructions de l'emballage, dans deux moules ronds de 23 cm de diamètre; laisser tiédir à la température ambiante.
Sur un grand plat rectangulaire, démouler un des gâteaux, qui va tenir lieu de tête à votre lapin.
Vous allez pouvoir fabriquer les oreilles et le nœud papillon avec le deuxième gâteau :
Découper les deux oreilles en forme de () sur le bord du gâteau et le nœud papillon au centre.
Positionner les deux oreilles au-dessus de la tête et le nœud papillon en dessous. Recouvrir la totalité du gâteau avec du crémage blanc ou au beurre, en veillant à ne pas oublier les bords.

Verser 250 ml (1 tasse) de noix de coco râpée dans un sac en plastique avec fermeture à glissière; ajouter quelques gouttes de colorant alimentaire rouge et remuer. Saupoudrer la noix de coco rose sur le dessus et les côtés du nœud papillon, ainsi que dans la partie centrale des oreilles.
Répandre 250 ml (1 tasse) de noix de coco blanche sur le reste du lapin.
Répéter les différentes étapes ci-dessus pour obtenir la noix de coco verte qui servira « d'herbe » et remplira l'espace vide autour de la tête. Saupoudrer la noix de coco verte tout autour de la tête.

Décorer la figure avec les bonbons. Utiliser des noisettes pour les yeux et le nez, des filaments de réglisse noire pour les moustaches, de la réglisse rouge pour la bouche et des pépites de chocolat pour souligner les contours des oreilles et du nœud papillon. Décorer le nœud papillon lui-même avec des gélifiés.

Éparpiller le reste des bonbons sur le lapin et sur l'herbe verte en noix de coco.

Donne 16 portions

Animaux en chocolat

750 ml (3 tasses) de pépites de chocolat semi-sucrées
1 boîte de 300 ml (10 oz) de lait concentré sucré
(non évaporé)
1 pincée de sel
250 ml (1 tasse) de noix de Grenoble hachées (facultatif)
7 ml (1½ c. à thé) de vanille

Recouvrir un moule de 33 x 23 x 5 cm (13 po x 9 po x 2 po) de papier d'aluminium en le faisant dépasser des bords; réserver.

Dans une casserole, faire fondre à feux doux les pépites de chocolat, le lait et le sel. Retirer du feu et ajouter les noix et la vanille.

Étaler la préparation uniformément dans le moule. Placer au réfrigérateur pour 2 heures, ou jusqu'à ce que le mélange soit ferme.

Tirer sur le papier aluminium pour retirer le fudge du moule. Le déposer sur une planche à découper.

Retirer complètement le papier d'aluminium et découper le fudge à l'aide d'emporte-pièces en forme d'animaux. Conserver dans un contenant hermétique, dans un endroit frais et sec

Donne environ 900 g (2 lb) de fudge

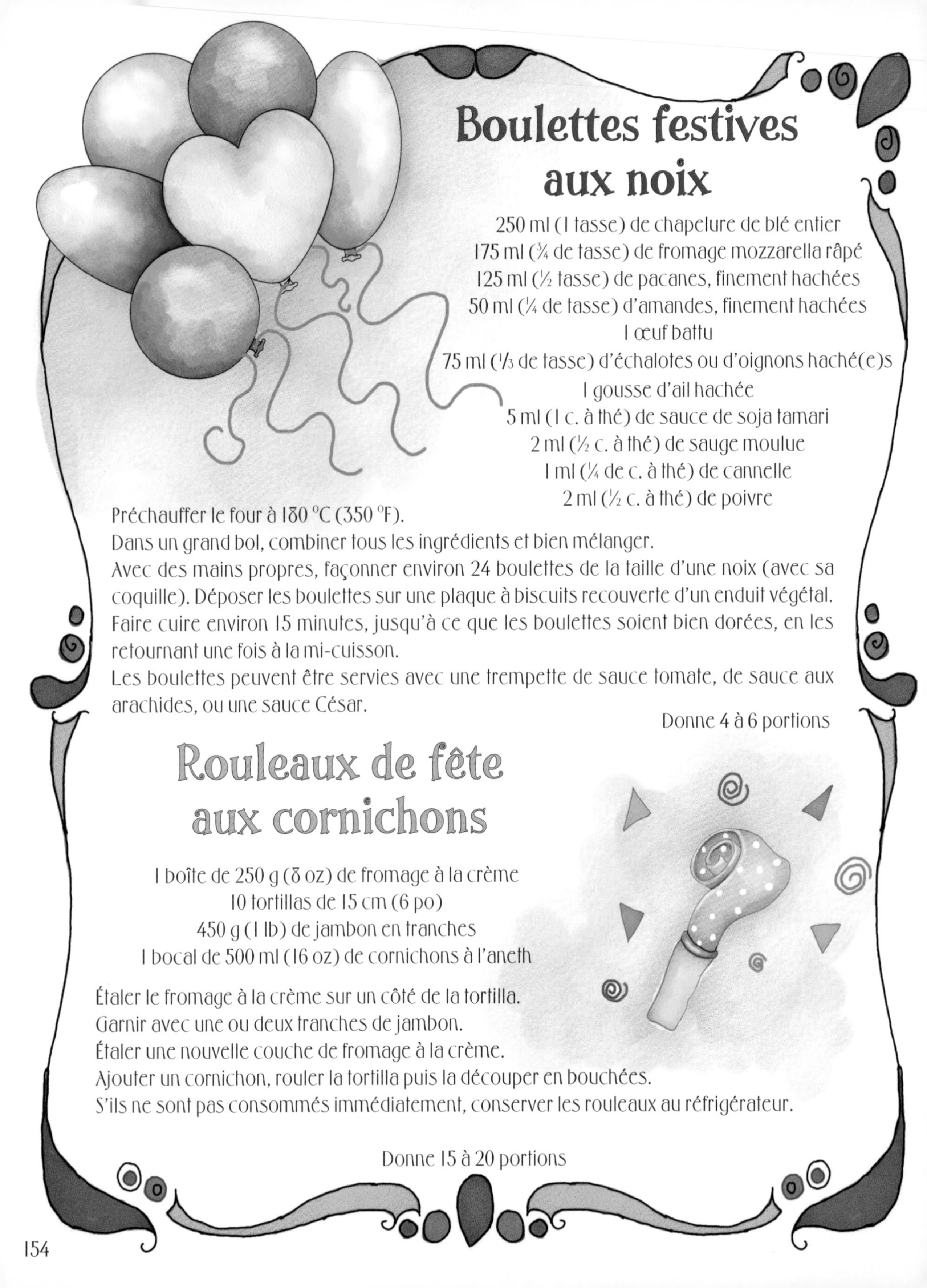

Boulettes festives aux noix

250 ml (1 tasse) de chapelure de blé entier
175 ml (¾ de tasse) de fromage mozzarella râpé
125 ml (½ tasse) de pacanes, finement hachées
50 ml (¼ de tasse) d'amandes, finement hachées
1 œuf battu
75 ml (⅓ de tasse) d'échalotes ou d'oignons haché(e)s
1 gousse d'ail hachée
5 ml (1 c. à thé) de sauce de soja tamari
2 ml (½ c. à thé) de sauge moulue
1 ml (¼ de c. à thé) de cannelle
2 ml (½ c. à thé) de poivre

Préchauffer le four à 180 °C (350 °F).
Dans un grand bol, combiner tous les ingrédients et bien mélanger.
Avec des mains propres, façonner environ 24 boulettes de la taille d'une noix (avec sa coquille). Déposer les boulettes sur une plaque à biscuits recouverte d'un enduit végétal.
Faire cuire environ 15 minutes, jusqu'à ce que les boulettes soient bien dorées, en les retournant une fois à la mi-cuisson.
Les boulettes peuvent être servies avec une trempette de sauce tomate, de sauce aux arachides, ou une sauce César.

Donne 4 à 6 portions

Rouleaux de fête aux cornichons

1 boîte de 250 g (8 oz) de fromage à la crème
10 tortillas de 15 cm (6 po)
450 g (1 lb) de jambon en tranches
1 bocal de 500 ml (16 oz) de cornichons à l'aneth

Étaler le fromage à la crème sur un côté de la tortilla.
Garnir avec une ou deux tranches de jambon.
Étaler une nouvelle couche de fromage à la crème.
Ajouter un cornichon, rouler la tortilla puis la découper en bouchées.
S'ils ne sont pas consommés immédiatement, conserver les rouleaux au réfrigérateur.

Donne 15 à 20 portions

Boulettes de patates douces

4 grosses patates douces cuites, réduites en purée
15 ml (3 c. à thé) de beurre
5 ml (1 c. à thé) de sel
0,5 ml (1/8 de c. à thé) de poivre
Une pincée de cannelle et de muscade
30 ml à 45 ml (2 à 3 c. à table) de cassonade
Flocons de maïs nature ou aromatisés au miel et aux noix, émiettés

Préchauffer le four à 180 °C (350 °F).
Dans un grand bol, mêler ensemble les patates douces, le beurre, le sel, le poivre, la cannelle, la muscade et la cassonade jusqu'à obtention d'un mélange homogène.
Prendre une petite quantité de préparation à la fois et former une boulette. Rouler les boulettes dans les flocons de maïs.
Faire cuire au four environ 20 minutes.

Donne environ 14 boulettes de taille moyenne

Boulettes de viande à la suédoise

125 ml (½ tasse) de chapelure fine
45 ml (3 c. à table) de lait chaud
450 g (1 lb) de viande de bœuf ou de veau hachée, ou un mélange des deux
250 ml (1 tasse) de crème
1 œuf
Sel et poivre
375 ml (1½ tasse) de bouillon de bœuf
30 ml (2 c. à table) de farine
30 ml (2 c. à table) d'eau
1 jaune d'œuf

Dans un grand bol, mouiller la chapelure avec le lait. Ajouter la viande. Verser 125 ml (½ tasse) de crème et mélanger. Incorporer l'œuf, le sel et le poivre. Bien mélanger. Rouler la préparation en boulettes.
Dans une casserole, faire chauffer le bouillon de bœuf. Y laisser tomber les boulettes de viande et laisser mijoter 15 minutes. À l'aide d'une écumoire, transférer les boulettes sur un plat de service. Réserver. Réserver également le bouillon.
Juste avant de servir, mélanger la farine et l'eau et ajouter le mélange au bouillon. Amener à ébullition et faire cuire 3 minutes. Ajouter alors le reste de la crème (125 ml - ½ tasse) mélangée avec le jaune d'œuf. Assaisonner au goût et verser sur les boulettes de viande.

Donne 8 portions

Gâteau « Fleur de lys »

Un paquet de 540 g (18 oz) de mélange à gâteau des anges
Un contenant de 240 g (8 oz) de nappage fouetté congelé, décongelé
1,5 l (6 tasses) de bleuets frais, lavés et égouttés ou pour le drapeau du Canada 750 ml (3 tasses) de fraises fraîches, lavées, égouttées et coupées en demies.

Préchauffer le four à 180 °C (350 °F).
Préparer le gâteau selon les instructions de l'emballage et faire cuire la pâte au four dans un moule à gâteau de 23 cm x 33 cm (9 po x 13 po).
Laisser refroidir complètement.

Glacer le gâteau avec le nappage fouetté. En vous aidant de l'illustration du drapeau à gauche, disposer les bleuets avec soin. Pour rendre l'opération plus facile, on peut se servir d'un cure-dent pour esquisser les contours de la croix et des quatre fleurs de lys. Ce sera ensuite un jeu d'enfant de disposer les bleuets au bon endroit.

Placer au réfrigérateur jusqu'au moment de servir.

Variation : Pour décorer le gâteau d'un drapeau canadien, il suffit de remplacer les bleuets par des fraises. Disposer deux rangées de fraises coupées en demies de chaque côté du rectangle, puis dessiner la forme d'une feuille d'érable au centre avec le reste des fraises.

Donne 18 portions

Entremets « Fiesta »

1 paquet de 90 ml (3 oz) de gélatine aromatisée à la fraise
(ou tout autre fruit rouge)
425 ml (1¾ tasse) d'eau bouillante
125 ml (½ tasse) d'eau froide
375 ml (1½ tasse) de fraises en morceaux
1 paquet de 90 ml (3 oz) de gélatine aromatisée au citron
500 ml (2 tasses) de crème glacée à la vanille, ramollie

Dans un bol, mélanger la gélatine rouge avec 250 ml (1 tasse) d'eau bouillante. Remuer pendant au moins 2 minutes, ou jusqu'à dissolution complète de la poudre. Ajouter l'eau froide.

Placer le bol de gélatine rouge dans un grand bol d'eau froide mélangée à des glaçons. Remuer jusqu'à ce que le mélange épaississe, soit environ 8 minutes.

Laver et couper les fraises. Les incorporer dans la gélatine. Verser la préparation dans un moule à pain de 23 x 13 cm (9 x 5 po). Placer au réfrigérateur pour 7 minutes.

Pendant ce temps, dans un bol moyen, mélanger la gélatine aromatisée au citron avec les 175 ml (¾ de tasse) restants d'eau bouillante. Remuer pendant 2 minutes au moins, ou jusqu'à dissolution complète de la poudre.

Incorporer la crème glacée et remuer jusqu'à ce qu'elle soit bien ramollie et que le mélange soit lisse. Déposer le mélange à la cuillère sur la gélatine rouge. Réfrigérer pour 4 heures, ou toute la nuit, jusqu'à obtention d'un mélange ferme. Démouler et décorer de tranches de fruits, si désiré.
Conserver les restes d'entremets au réfrigérateur.

Donne 12 portions

Mes deux fils étaient au secondaire, l'aîné venant de commencer le deuxième cycle, quand nous avons déménagé à l'autre bout du pays. Jusque-là, nous avions toujours vécu sous un climat tropical, éternellement chaud. Ce déménagement nous amena dans une région où régnaient les quatre saisons. Notre premier hiver nous fit donc vivre plusieurs nouvelles expériences. Un jour, on annonça l'imminence d'une grosse tempête de neige, et mes fils faisaient des voeux devant la télévision pendant qu'ils regardaient la liste des écoles fermées se dérouler à l'écran, en espérant bien fort le bonheur d'un « jour de neige ». C'est à l'occasion de ce premier jour de neige vécu dans notre nouvelle demeure que j'ai découvert le merveilleux réconfort d'une bonne soupe bien chaude.

Notre nouveau jardin avait une pente de bonne dimension, parfaite pour faire de la luge. Notre excitation était à son comble, puisque nous n'en avions jamais fait. Nous avons aligné nos nouvelles luges en forme de soucoupes et nous nous sommes préparés à la descente. Lancés à vive allure du haut de la pente, nous n'avions pas la moindre idée de notre éventuel point « d'atterrissage ». À notre grande surprise, la glissade nous a menés tout en bas de la pente, sous les branches basses d'une rangée d'arbres, et nous étions presque rendus tout à côté de la maison d'un de nos voisins quand nous avons enfin pu nous arrêter. Une fois que nous avons compris comment diriger nos luges, nous avons passé des heures et des heures, en ce premier jour de neige, à nous régaler de ce décor hivernal féerique.

À la fin de la journée, nous étions morts de froid et de faim. Nous ne nous étions pas rendu compte du temps que nous avions passé à glisser, ni à quel point il faisait froid. J'étais entrée dans la maison un peu plus tôt pour mettre au feu un plein chaudron de soupe aux boulettes de viande. Inutile de dire que le grand air nous avait creusé l'appétit. La soupe prête nous attendait. Une façon parfaite de terminer le premier de nombreux « jours de neige » !

METS RÉCONFORTANTS POUR L'HIVER

Crème de brocoli

250 ml (1 tasse) d'eau
375 ml (1½ tasse) de pommes de terre, coupées en morceaux
375 ml (1½ tasse) de brocoli, coupé en morceaux
30 ml (2 c. à table) de beurre
1 oignon, haché
500 ml (2 tasses) de bouillon de poulet
5 ml (1 c. à thé) de sel de céleri
Sel et poivre, au goût
125 ml (½ tasse) de crème épaisse

Amener l'eau à ébullition dans une casserole. Ajouter les pommes de terre, puis le brocoli 5 minutes plus tard. Laisser mijoter 5 minutes, puis retirer du feu. Ne pas égoutter.

Dans une autre casserole ou un fait-tout, faire fondre le beurre. Faire revenir l'oignon dans le beurre fondu jusqu'à ce qu'il devienne transparent.

Ajouter les pommes de terre et le brocoli, avec leur eau de cuisson, et mélanger. Verser le bouillon de poulet et cuire 10 minutes.

Réduire en purée au mélangeur électrique jusqu'à consistance lisse et homogène. Remettre le mélange dans le fait-tout.

Assaisonner avec le sel de céleri, le sel et le poivre, et remettre sur le feu.

Verser la crème en remuant constamment jusqu'à ce que le mélange soit chaud, sans le faire bouillir. Servir immédiatement.

Donne 4 portions

Potage de chou-fleur au fromage

1 litre (4 tasses) d'eau
1 grosse pomme de terre, pelée et coupée en dés
1 gros chou-fleur, coupé en petits bouquets
1 carotte moyenne
500 ml (2 tasses) de cheddar faible en gras râpé, bien tassé
15 ml (1 c. à table) d'huile végétale
125 ml (½ tasse) d'oignons hachés
3 gousses d'ail moyennes, pelées
5 ml (1 c. à thé) de sel
175 ml (¾ de tasse) de crème légère
5 ml (1 c. à thé) de muscade

Dans un fait-tout, verser l'eau; ajouter la pomme de terre, le chou-fleur et la carotte. Amener à ébullition, puis laisser mijoter à feu doux jusqu'à ce que les légumes soient très tendres, soit environ 20 minutes.

Réduire en purée au mélangeur (une petite quantité à la fois, ne remplir le mélangeur qu'aux ⅔).

Remettre le potage dans le fait-tout. Ajouter le fromage et remuer jusqu'à ce qu'il soit bien fondu.

Dans une poêle à frire, chauffer l'huile, faire sauter les oignons et l'ail avec du sel, jusqu'à ce que les oignons soient ramollis et légèrement dorés.

Verser le mélange d'oignons dans le potage en remuant. Remettre sur le feu.
Ajouter la crème tout en remuant; continuer de remuer pendant 3 à 5 minutes, ou jusqu'à ce que le mélange soit chaud. Parsemer de muscade.

Donne 6 à 8 portions

Soupe aux boulettes de viande

15 ml (1 c. à table) de beurre
250 ml (1 tasse) d'oignon haché
1 boîte de 284 ml (9 oz) de soupe aux tomates condensée
1 boîte de 284 ml (9 oz) de soupe poulet et nouilles condensée
125 ml (½ tasse) d'eau
450 g (1 lb) de bœuf ou de veau haché
1 œuf
25 ml (⅛ de tasse) de lait
2 tranches de pain

Faire fondre le beurre dans une grande casserole à feu moyen. Faire revenir l'oignon jusqu'à ce qu'il soit ramolli.

Verser en remuant la soupe aux tomates, la soupe poulet et nouilles, puis l'eau; amener le tout à ébullition. Baisser à feu moyen-doux et laisser mijoter.

Pendant ce temps, combiner la viande hachée, l'œuf et le lait dans un bol. Émietter le pain et l'ajouter au contenu du bol. Bien mélanger.

Avec le mélange de viande hachée, faire de petites boulettes et les déposer dans la soupe.

Faire mijoter, sans couvrir, de 20 à 30 minutes, en remuant de temps en temps.

Donne 6 portions

Petit marmiton

Les enfants adorent faire les boulettes de viande. Assurez-vous qu'ils se lavent bien les mains avant et après l'opération.

Potage aux citrouilles du jardin de Julie

15 ml (1 c. à table) d'huile d'olive
250 ml (1 tasse) d'oignon haché
5 ml (1 c. à thé) de gingembre moulu
2 ml (½ c. à thé) de poudre de cari
1 ml (¼ de c. à thé) de cumin
1 ml (¼ de c. à thé) de muscade
2 gousses d'ail, hachées
500 ml (2 tasses) de patates douces, pelées et coupées en dés
500 ml (2 tasses) de bouillon de poulet faible en sodium
375 ml (1½ tasse) d'eau
375 mm (1½ tasse) de purée de citrouille
250 ml (1 tasse) de lait
45 ml (3 c. à table) de crème sure légère

Faire chauffer l'huile d'olive à feu moyen dans un fait-tout. Ajouter l'oignon et faire revenir pendant 3 minutes. Ajouter le gingembre moulu, la poudre de cari, le cumin, la muscade et l'ail, et faire cuire pendant 1 minute.

Ajouter en remuant les patates douces, le bouillon de poulet, l'eau et la purée de citrouille; amener à ébullition. Baisser le feu et laisser mijoter 15 à 20 minutes ou jusqu'à ce que la patate douce soit tendre, en remuant de temps en temps. Ajouter le lait en remuant jusqu'à ce que le mélange soit chaud. Ne pas laisser bouillir.

Avec une louche, verser soigneusement la moitié de la soupe (environ 750 ml – 3 tasses) dans un mélangeur d'une capacité de 1¼ l (5 tasses). Réduire en purée jusqu'à ce que le mélange soit homogène. Répéter avec le reste de la soupe. Répartir le potage dans des bols et déposer sur chacun 8 ml (½ c. à table) de crème sure légère.

On peut préparer ce potage à l'avance et le conserver au réfrigérateur jusqu'à 4 jours. Réchauffer dans une casserole à feu moyen ou passer au four à micro-ondes à intensité élevée pendant 1 à 2 minutes.

Donne 6 portions de 250 ml (1 tasse)

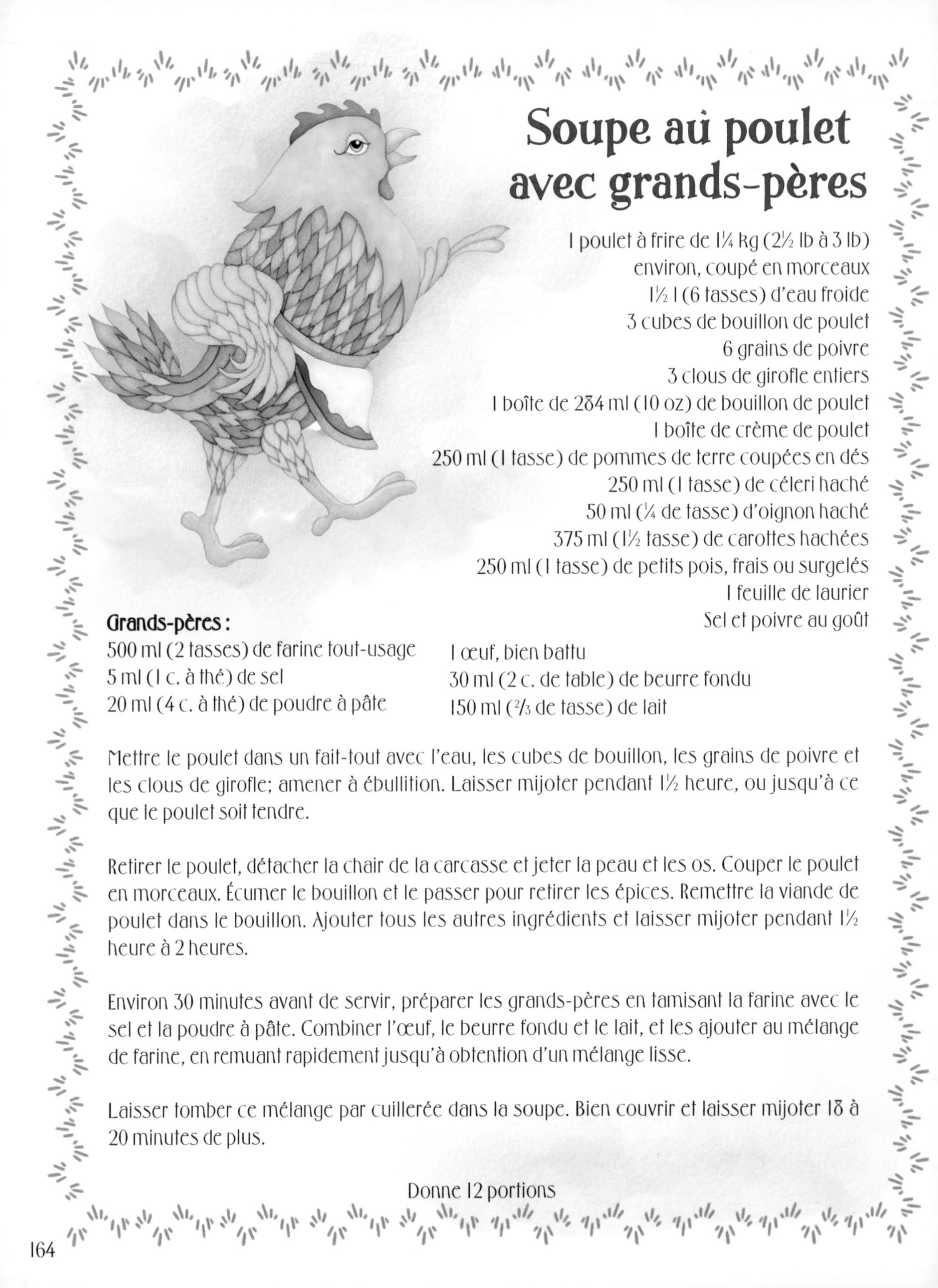

Soupe au poulet avec grands-pères

1 poulet à frire de 1¼ kg (2½ lb à 3 lb) environ, coupé en morceaux
1½ l (6 tasses) d'eau froide
3 cubes de bouillon de poulet
6 grains de poivre
3 clous de girofle entiers
1 boîte de 284 ml (10 oz) de bouillon de poulet
1 boîte de crème de poulet
250 ml (1 tasse) de pommes de terre coupées en dés
250 ml (1 tasse) de céleri haché
50 ml (¼ de tasse) d'oignon haché
375 ml (1½ tasse) de carottes hachées
250 ml (1 tasse) de petits pois, frais ou surgelés
1 feuille de laurier
Sel et poivre au goût

Grands-pères :

500 ml (2 tasses) de farine tout-usage
5 ml (1 c. à thé) de sel
20 ml (4 c. à thé) de poudre à pâte
1 œuf, bien battu
30 ml (2 c. de table) de beurre fondu
150 ml (⅔ de tasse) de lait

Mettre le poulet dans un fait-tout avec l'eau, les cubes de bouillon, les grains de poivre et les clous de girofle; amener à ébullition. Laisser mijoter pendant 1½ heure, ou jusqu'à ce que le poulet soit tendre.

Retirer le poulet, détacher la chair de la carcasse et jeter la peau et les os. Couper le poulet en morceaux. Écumer le bouillon et le passer pour retirer les épices. Remettre la viande de poulet dans le bouillon. Ajouter tous les autres ingrédients et laisser mijoter pendant 1½ heure à 2 heures.

Environ 30 minutes avant de servir, préparer les grands-pères en tamisant la farine avec le sel et la poudre à pâte. Combiner l'œuf, le beurre fondu et le lait, et les ajouter au mélange de farine, en remuant rapidement jusqu'à obtention d'un mélange lisse.

Laisser tomber ce mélange par cuillerée dans la soupe. Bien couvrir et laisser mijoter 18 à 20 minutes de plus.

Donne 12 portions

Soupe poulet et nouilles à la japonaise

1 paquet de 315 g (10½ oz) de nouilles japonaises udon
1 grosse carotte, coupée en trois
1 branche de céleri, coupée en trois
1 gros oignon, coupé en quatre sections
1 brin de coriandre fraîche, avec feuilles et tige
2 poitrines de poulet, entières
2 cuisses de poulet
4 l (environ 16 tasses) d'eau
Sel et poivre au goût

Pour préparer les nouilles udon, dans une grande casserole ou un fait-tout, amener à ébullition 1½ litre (6 tasses) d'eau, ou suffisamment pour couvrir les nouilles. Ajouter lentement les nouilles udon à l'eau bouillante. Amener de nouveau à ébullition et remuer. Ajouter 250 ml (1 tasse) d'eau froide et amener de nouveau à ébullition.

Baisser le feu et cuire les nouilles jusqu'à ce qu'elles soient tendres (le temps de cuisson varie selon le type de nouilles udon). Égoutter les nouilles dans une passoire et les refroidir à l'eau froide courante. Couvrir et réserver.

Dans un robot culinaire ou un mélangeur, hacher finement les légumes et la coriandre.

Dans un fait-tout, mettre le poulet avec l'eau, les légumes et la coriandre hachés fin, puis le sel et le poivre. Amener à ébullition, baisser le feu, couvrir et laisser mijoter 1 à 2 heures, ou jusqu'à ce que le poulet soit cuit. Retirer le poulet.

Le poulet cuit peut être coupé en morceaux et ajouté à la soupe, si l'on veut un plat plus complet. On peut aussi s'en servir pour une salade de poulet.

Ajouter les nouilles udon à la soupe et réchauffer le tout pendant 5 à 7 minutes avant de servir.

Donne 6 à 8 portions

Soupe aux croustilles de maïs

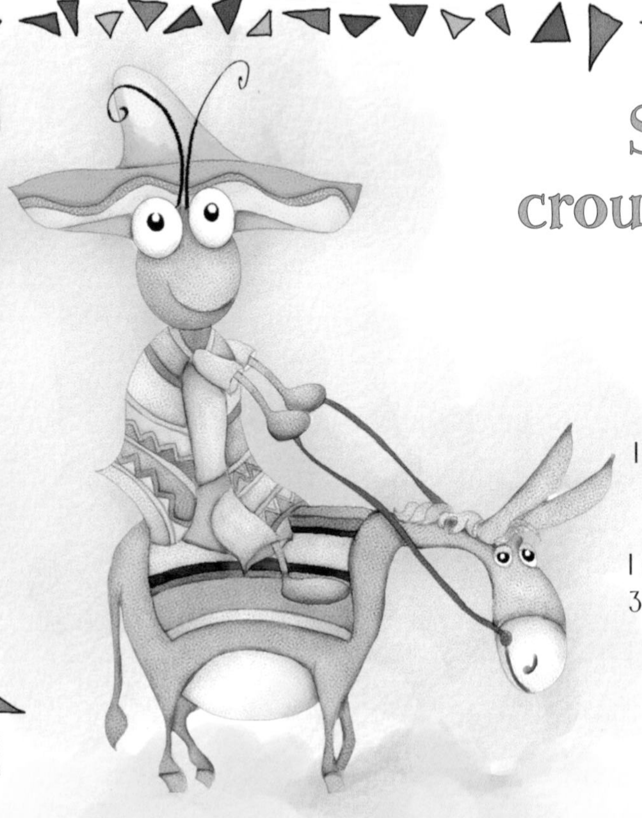

15 ml (1 c. à table) d'huile d'olive
1 gros oignon, haché
2 gousses d'ail, hachées menu
15 ml (1 c. à table) de cumin
1 ml (¼ de c. à thé) de coriandre moulue
15 ml (1 c. à table) de chili en poudre
15 ml (1 c. à table) d'origan
1 ml (¼ de c. à thé) de poivre de Cayenne
300 ml (1¼ tasse) de croustilles au maïs, écrasées grossièrement
250 ml (1 tasse) de jus de tomate
250 ml (1 tasse) de bouillon de poulet
125 ml (½ tasse) de cheddar râpé
125 ml (½ tasse) de crème sure légère

Dans un fait-tout ou une grande casserole, faire chauffer l'huile d'olive. Faire revenir l'oignon et l'ail avec les herbes et les épices pendant 1 à 2 minutes.

Incorporer 250 ml (1 tasse) de croustilles de maïs en remuant; ajouter le jus de tomate et le bouillon de poulet, puis amener le tout à ébullition.

Baisser le feu et laisser mijoter 30 minutes.

Verser à la louche dans 4 assiettes à soupe.

Garnir avec le reste des croustilles, le cheddar râpé et la crème sure.

Donne 4 portions

Burritos express pour estomacs creux

125 ml (½ tasse) de riz cuit
125 ml (½ tasse) de maïs en grains
125 ml (½ tasse) de gros haricots cuits, rincés
175 ml (¾ de tasse) de salsa préparée
10 petites tortillas (15 cm – 6 po) de blé ou de maïs, réchauffées
300 ml (1¼ tasse) de fromage mozzarella râpé
125 ml (½ tasse) de crème sure légère

Dans une poêle antiadhésive, combiner le riz, les haricots, le maïs et la salsa; sur feu moyen, remuer jusqu'à ce que le mélange soit chaud, soit environ 3 ou 4 minutes.

Répartir également le mélange sur les tortillas chaudes. Recouvrir du fromage mozzarella râpé. Rouler les tortillas. Tremper dans la crème sure pour un vrai régal!

Suggestion : Ce mets peut aussi se préparer au four à micro-ondes. Combiner le riz, les haricots, le maïs et la salsa dans un bol moyen. Répartir le mélange sur les tortillas; parsemer de fromage et rouler les tortillas. Passer au micro-ondes à intensité ÉLEVÉE 30 ou 40 secondes, ou jusqu'à ce que les tortillas soient chaudes.

Donne 10 burritos

Salade aux tacos

1¼ kg (3 lb) de bœuf haché
250 ml (1 tasse) d'oignons hachés
1 poivron vert, haché
1 boîte de tomates italiennes
3 paquets de mélange à tacos
Laitue
Croustilles de maïs, écrasées
450 g (1 lb) de fromage de type Velveeta

Dans une grande poêle à frire ou un poêlon, brunir la viande avec les oignons. Ajouter en remuant le poivron vert, les tomates et le mélange à tacos. Cuire pendant 5 minutes.

Placer la laitue et les croustilles écrasées sur un plat de service. Disposer le mélange de viande par-dessus.

Dans une casserole, faire fondre le fromage et le répandre en filet sur la viande. Servir immédiatement.

Donne 6 portions

La ronde des oignons

3 gros oignons jaunes
2 oeufs, jaunes et blancs séparés
375 ml (1½ tasse) de bière, chambrée
75 ml (⅓ de tasse) de beurre fondu
500 ml (2 tasses) de farine tout-usage
1½ l (6 tasses) d'huile végétale pour la friture
50 ml (¼ de tasse) de farine pour enrober
Sel

Peler les oignons et les découper en tranches de 6 mm (¼ po) d'épaisseur environ; les séparer en rondelles.

Dans un grand bol, battre les jaunes d'oeuf jusqu'à ce qu'ils prennent une couleur pâle; ajouter la bière et le beurre en remuant. Incorporer les 500 ml (2 tasses) de farine, puis laisser reposer 30 minutes. Battre les blancs en neige ferme et les incorporer à la pâte.

Faire chauffer l'huile à 190 °C (375 °F).

Passer les rondelles d'oignon dans la farine pour les enrober, secouer pour enlever l'excès de farine. Plonger les rondelles d'oignon dans la pâte à frire, en prenant soin de laisser couler l'excès de pâte. Mettre plusieurs rondelles à la fois dans l'huile de friture chaude et les faire frire jusqu'à ce qu'elles soient bien dorées.

Égoutter sur du papier essuie-tout. Saupoudrer de sel et servir.

Donne 6 portions

Sépare soigneusement les tranches d'oignon en rondelles. Mets tes lunettes comme pour aller à la piscine.

Pain d'épices moelleux

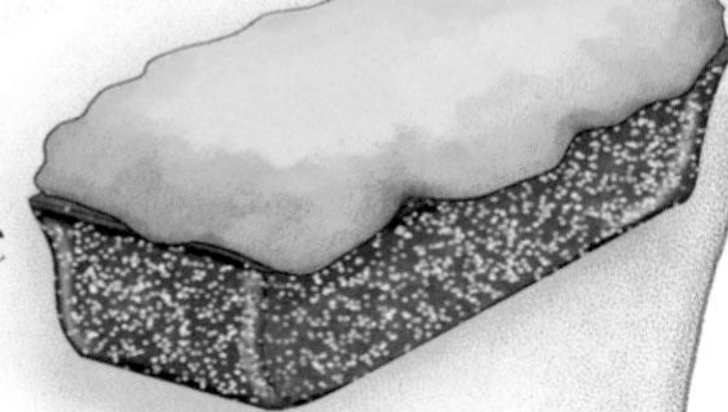

250 ml (1 tasse) de mélasse de sorgho
125 ml (½ tasse) de beurre
7 ml (1½ c. à thé) de bicarbonate de soude
125 ml (½ tasse) de lait sur
2 œufs, bien battus
500 ml (2 tasses) de farine tout-usage
10 ml (2 c. à thé) de gingembre
2 ml (½ c. à thé) de sel

Préchauffer le four à 180° C (350° F).
Dans une casserole, chauffer la mélasse et le beurre à feu moyen et amener à ébullition.
Hors du feu, ajouter le bicarbonate de soude. Bien battre et laisser refroidir.
Verser le lait sur et les œufs dans ce mélange en remuant.
Passer ensemble au tamis les autres ingrédients et les incorporer au mélange de mélasse en remuant bien.
Verser dans un moule à gâteau bien graissé et cuire au four pendant 40 minutes.
Servir chaud avec du beurre ou de la crème fouettée.

Donne 8 portions

Croustade à la pomme et à la courge

1 courge musquée, de taille moyenne
1 pomme moyenne
50 ml (¼ de tasse) de cassonade, bien tassée
7 ml (1½ c. à thé) de farine tout-usage
50 ml (¼ de tasse) de beurre ou
de margarine, ramolli(e)
2 ml ½ c. à thé) de sel
1 ml (¼ de c. à thé) de cannelle

Préchauffer le four à 180 °C (350 °F).
Peler et épépiner la courge, et la couper en tranches de 1,3 cm (½ po) d'épaisseur. Peler la pomme et la couper en tranches fines.
Vaporiser d'huile végétale un moule carré de 20 cm (8 po) de côté, y disposer au fond les tranches de courge. Placer les tranches de pomme sur la courge.
Combiner le reste des ingrédients dans un petit bol jusqu'à obtention d'un mélange homogène. Étendre à la cuillère sur le mélange pomme-courge.
Couvrir et cuire au four 30 minutes. Laisser reposer pendant 5 minutes avant de servir.

Donne 4 portions

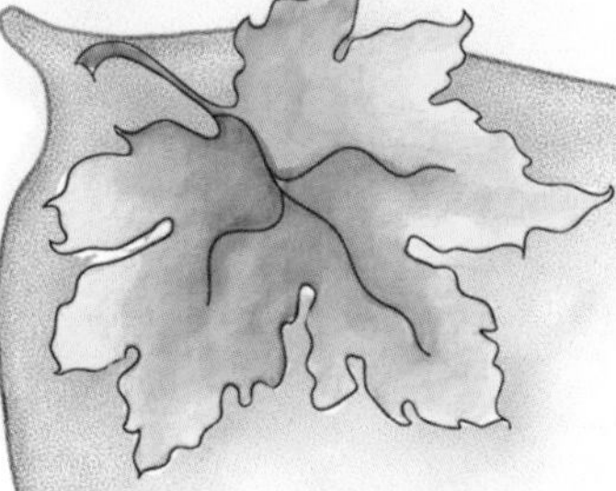

Thé aux épices

3 litres d'eau
5 ml (1 c. à thé) de clous de girofle
3 bâtons de cannelle
6 sachets de thé ordinaire
375 ml (1½ tasse) de sucre

500 ml (2 tasses) d'eau
Le jus de 3 oranges
Le jus de 3 citrons
Tranches d'orange

Dans un fait-tout en acier inoxydable, combiner les 3 litres d'eau, les clous de girofle, les bâtons de cannelle, et amener le tout à ébullition.

Retirer du feu et ajouter les sachets de thé; couvrir et laisser reposer 15 minutes. Retirer les sachets de thé, les clous de girofle et les bâtons de cannelle. Réserver le thé.

Dans une casserole en acier inoxydable, combiner le sucre, 500 ml (2 tasses) d'eau et les jus; amener à ébullition, en remuant fréquemment jusqu'à ce que le sucre soit dissous.

Combiner le thé avec le mélange de jus, en remuant jusqu'à obtention d'un mélange homogène.

Verser dans des tasses et garnir avec les tranches d'orange. Servir chaud.

Donne environ 3½ litres

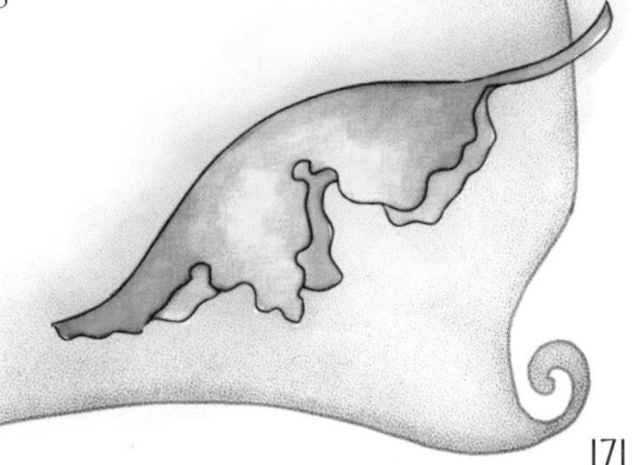

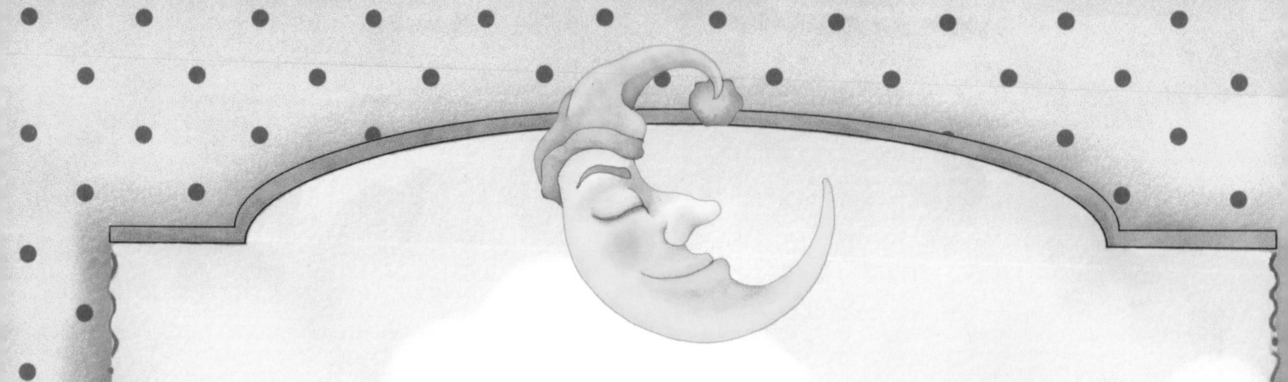

Les enfants adorent les pyjamades! Lorsque j'étais jeune, nous avions l'habitude de les appeler des « pyjamas partys ». Même si tout le monde était en tenue de nuit pour l'occasion, ma mère disait toujours qu'on ne voyait pas dormir beaucoup de monde. Quel que soit le terme utilisé, si vous organisez ce type de fête, préparez-vous à voir votre maison remplie d'enfants surexcités, bien décidés à s'amuser sans relâche, et ne vous imaginez surtout pas que vous allez pouvoir fermer l'œil!

Une obligation à laquelle on n'échappe pas, avec une pyjamade, c'est d'avoir sous la main une quantité de bons mets pour nourrir tous ces invités turbulents. Et vous aussi, vous aurez besoin d'une collation si vous voulez sortir vivante de la fête. Vos enfants vont certainement avoir beaucoup de plaisir à préparer avec vous le menu de leur pyjamade. Ce chapitre vous présente plusieurs excellentes idées qui vous aideront à faire un succès de cette « soirée-hébergement ».

PYJAMADES

Salsa épaisse

3 tomates moyennes, épépinées et hachées (550 ml – 2¼ tasses)
1 petit poivron, haché (125 ml – ½ tasse)
3 gousses d'ail, hachées menu
125 ml (½ tasse) d'oignons verts, coupés
30 ml (2 c. à table) de coriandre fraîche ou de persil, hachés
30 ml (2 c. à table) de jus de lime
1 ml (¼ de c. à thé) de sel

Mêler ensemble tous les ingrédients dans un bol en plastique muni d'un couvercle. Couvrir et réfrigérer 1 heure au moins pour bien mélanger les saveurs.

Donne environ 750 ml (3 tasses)

Guacamole minute et croustilles

1 gros avocat mûr, écrasé
50 ml (¼ de tasse) de salsa épaisse (achetée ou faite maison)
8 ml (½ c. à table) de jus de lime
40 à 50 croustilles de maïs (achetées ou faites maison)

Mélanger l'avocat, la salsa et le jus de lime dans un petit bol, couvrir et réfrigérer.

Servir 50 ml (¼ de tasse) de guacamole avec 10 à 12 croustilles par portion.

Donne environ 250 ml (1 tasse) de trempette (4 portions)

Croustilles de tortilla maison

10 tortillas de blé de 18 cm (7 po)
15 ml (1 c. à table) d'huile de sésame ou d'huile végétale
30 ml (2 c. à table) de jus de lime
5 ml (1 c. à thé) de poudre de chili
2 ml (½ c. à thé) de sel

Préchauffer le four à 180 °C (350 °F).

Découper chaque tortilla en 8 parts triangulaires. Disposer les parts de tortilla sur une plaque à biscuits sans les superposer.

Dans un brumisateur (ou un vaporisateur) propre, combiner l'huile et le jus de lime. Secouer pour bien mélanger et vaporiser chaque morceau de tortilla jusqu'à ce qu'il soit légèrement humide.

Dans un petit bol, combiner la poudre de chili avec le sel. En saupoudrer uniformément les morceaux de tortilla. Passer au four environ 15 minutes (faire pivoter la plaque à biscuits au bout de 7 minutes) ou jusqu'à ce que les croustilles soient croquantes, mais pas trop dorées.

Les placer dans un contenant hermétique pour en conserver la fraîcheur.

Donne 80 croustilles de tortilla

Petit marmiton

Dispose les morceaux de tortilla sur la plaque à biscuits et vaporise-les pour les humidifier.

Roulés couche-tard

6 tortillas de 25 cm (10 po)
125 g (4 oz) de fromage à la crème
½ laitue
90 g (3 oz) de tranches de dinde, style déli
250 ml (1 tasse) de carottes râpées
250 ml (1 tasse) de tomates coupées en dés

Étaler uniformément le fromage à la crème sur les tortillas. Couvrir avec les feuilles de laitue. Poser les tranches de dinde par-dessus.
Parsemer les carottes et les tomates sur les tranches de dinde.
Enrouler les tortillas. Couper les roulés en petites bouchées. Faire tenir avec des cure-dents.

Donne 6 portions

Bâtons de zucchini au goût piquant

4 zucchinis de taille moyenne
50 ml ¼ de tasse) de semoule de maïs
50 ml (¼ de tasse) de farine tout-usage
50 ml (¼ de tasse) de parmesan râpé
2 ml à 3 ml (½ à ¾ c. à thé) de sel d'ail
1 ml (¼ de c. à thé) de paprika
1 ml (¼ de c. à thé) d'origan
1 œuf battu

Préchauffer le four à 180 °C (350 °F).
Couper chaque zucchini en 8 dans la longueur.
Dans un grand bol, combiner la semoule de maïs, la farine, le parmesan, le sel d'ail, le paprika et l'origan.
Tremper les bâtons de zucchini dans l'œuf battu puis dans le mélange de semoule de maïs et d'épices.
Vaporiser une plaque à biscuits d'un enduit végétal, puis y déposer les bâtons.
Faire cuire à 180 °C (350 °F) durant 15 minutes.

Donne 4 à 6 portions

Gâteaux moelleux géants

250 ml (1 tasse) de margarine
250 ml (1 tasse) de beurre d'arachide
250 ml (1 tasse) de sucre
250 ml (1 tasse) de cassonade, bien tassée
2 œufs
300 ml (1¼ tasse) de farine tout-usage
5 ml (1 c. à thé) de bicarbonate de soude
2 ml (½ c. à thé) de sel
550 ml (2¼ tasses) de flocons d'avoine à cuisson
instantanée, non cuits
250 ml (1 tasse) de bonbons M&M'S au chocolat au lait

Préchauffer le four à 160 °C (325 °F).

Dans le grand bol d'un mélangeur, travailler ensemble la margarine, le beurre d'arachide, le sucre et la cassonade en un mélange léger et mousseux.

Incorporer les œufs en battant, puis ajouter la farine, le bicarbonate de soude et le sel. Bien remuer. Ajouter les flocons d'avoine et 75 ml (⅓ de tasse) de bonbons.

Pour faire deux gâteaux géants, séparer la pâte en deux et la déposer sur deux plaques à pizza de 30 cm à 33 cm (12 po à 13 po) recouvertes de papier d'aluminium et graissées.

Étendre la pâte jusqu'à environ 2,5 cm (1 po) du bord des plaques. Décorer chaque gâteau avec le reste des bonbons.

Faire cuire au four environ 15 minutes.

Découper en pointes.

Donne 2 gâteaux géants (chacun de la taille d'une pizza)

Les meilleurs brownies du monde

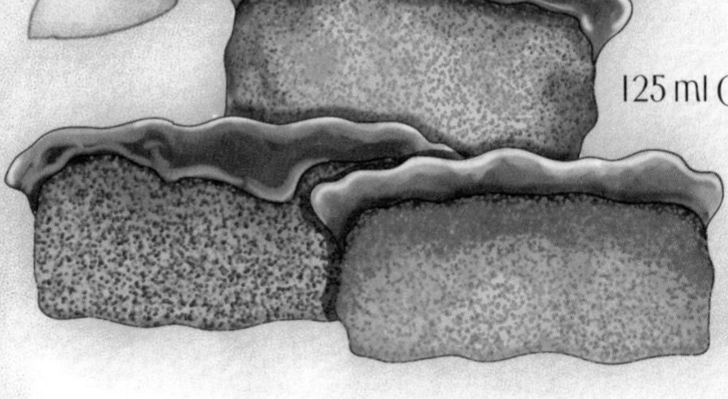

125 ml (½ tasse) de beurre ou de margarine, fondu(e)
250 ml (1 tasse) de sucre
5ml (1 c. à thé) d'extrait de vanille
2 gros œufs
125 ml (½ tasse) de farine tout-usage
75 ml (⅓ de tasse) de cacao
1 ml (¼ de c. à thé) de poudre à pâte
1 ml (¼ de c. à thé) de sel
125 ml (½ tasse) de noix hachées (facultatif)

Préchauffer le four à 180 °C (350 °F).
Graisser un moule à gâteau carré de 23 cm (9 po) de côté.

Dans un bol, mélanger le beurre, le sucre et la vanille, ajouter les œufs et battre vigoureusement à la cuillère.

Dans un autre bol, mélanger la farine, le cacao, la poudre à pâte et le sel. Ajouter graduellement au mélange d'œufs en battant, jusqu'à obtention d'un mélange homogène. Ajouter les noix, si désiré.

Étendre uniformément la pâte dans le moule. Cuire au four de 20 à 25 minutes, ou jusqu'à ce que la pâte commence à s'écarter des côtés du moule. Placer le moule sur une grille et le laisser refroidir complètement.

Glaçage crémeux pour *brownies*:
45 ml (3 c. à table) de beurre ou de margarine, ramolli(e)
45 ml (3 c. à table) de cacao
15 ml (1 c. à table) de sirop de maïs léger
2 ml (½ c. à thé) d'extrait de vanille
250 ml (1 tasse) de sucre à glacer
15 à 30 ml (1 à 2 c. à table) de lait

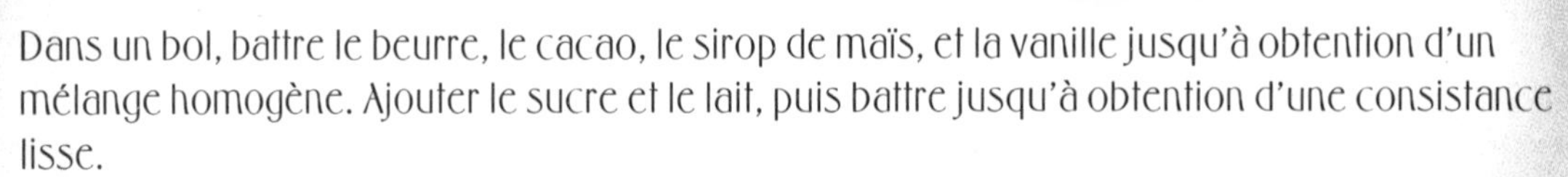

Dans un bol, battre le beurre, le cacao, le sirop de maïs, et la vanille jusqu'à obtention d'un mélange homogène. Ajouter le sucre et le lait, puis battre jusqu'à obtention d'une consistance lisse.
Étaler sur le gâteau au chocolat. Découper en carrés.

Donne 16 carrés

Pattes d'ours

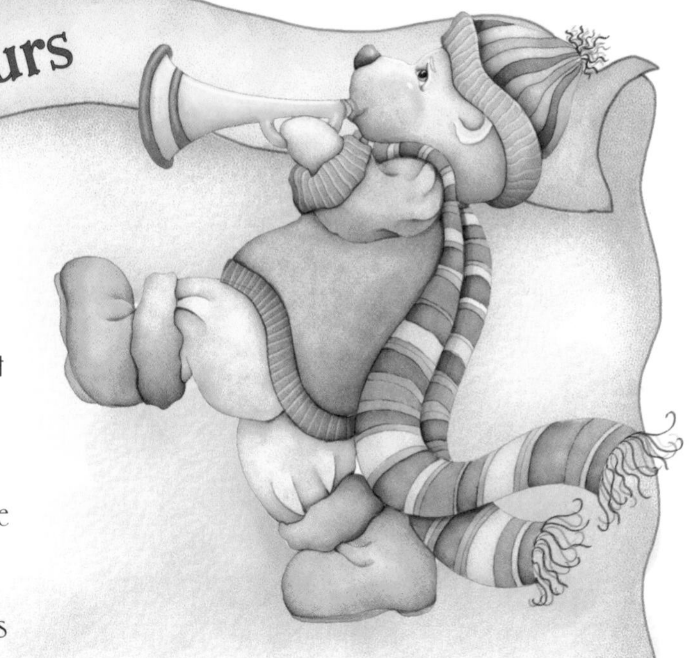

250 ml (1 tasse) de beurre ou de margarine, ramolli(e)
150 ml (2/3 tasse) de sucre
125 ml (½ tasse) de sirop de chocolat
2 gros œufs
5 ml (1 c. à thé) d'extrait de vanille
50 ml (¼ de tasse) de lait
500 ml (2 tasses) de farine tout-usage
10 ml (2 c. à thé) de poudre à pâte
5 ml (1 c. à thé) de sel
Arachides ou noix de cajou en demies

Dans un grand bol, travailler ensemble le beurre et le sucre, en crème légère et mousseuse. Ajouter le sirop de chocolat en remuant. Ajouter les œufs en battant vigoureusement. Incorporer la vanille et le lait.

Combiner la farine, la poudre à pâte et le sel. Ajouter au mélange de chocolat, en remuant bien. Couvrir la pâte et la réfrigérer pendant une heure.

Préchauffer le four à 180 °C (350 °F).

Déposer des cuillerées combles de pâte, espacées de 5 cm (2 po), sur des plaques à biscuits graissées. Sur chaque biscuit, enfoncer 4 moitiés d'arachides, en guise de « griffes », pour lui donner l'air d'une patte d'ours.

Cuire au four de 8 à 10 minutes, ou jusqu'à ce que le centre du biscuit reprenne sa forme quand on appuie légèrement dessus. Retirer les biscuits des plaques et les mettre à refroidir sur une grille.

Donne 3 douzaines

Petit marmiton

Enfonce les noix dans les biscuits pour les faire ressembler à des pattes d'ours.

Muffins bleu nuit

300 ml (1¼ tasse) de farine tout-usage
5 ml (1 c. à thé) de bicarbonate de soude
10 ml (2 c. à thé) de crème de tartre
75 ml (⅓ de tasse) de shortening, fondu
250 ml (1 tasse) de bleuets, égouttés
50 ml (¼ de tasse) de sucre
2 ml (½ c. à thé) de sel
1 œuf, battu
125 ml (½ tasse) de lait

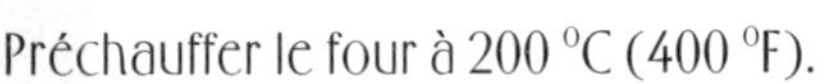
Préchauffer le four à 200 °C (400 °F).
Dans un grand bol, tamiser ensemble tous les ingrédients secs.
Faire un puits au centre des ingrédients secs, puis ajouter l'œuf, le lait et le shortening fondu; bien mélanger.
Incorporer les bleuets en pliant délicatement la pâte. Déposer le mélange à la cuillère dans des moules à muffins graissés.
Cuire au four de18 à 20 minutes.

Donne 1 douzaine de muffins

Maïs soufflé enrobé

500 ml (2 tasses) de cassonade, bien tassée
250 ml (1 tasse) de beurre ou de margarine
125 ml (½ tasse) de sirop de maïs léger
10 ml (2 c. à thé) de sel
5 ml (1 c. à thé) de bicarbonate de soude
250 ml (1 tasse) d'arachides ou de pacanes
7,5 l (7½ pte) de maïs soufflé

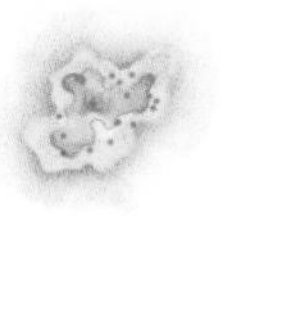
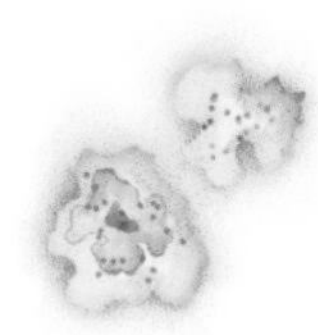

Préchauffer le four à 100 °C (200 °F).
Dans une casserole, combiner la cassonade, le beurre, le sirop de maïs et le sel. Amener à ébullition. Faire bouillir 5 minutes, puis incorporer le bicarbonate de soude en battant vigoureusement. Verser les noix dans le mélange.
Déposer le maïs soufflé dans une grande poêle peu profonde. Répandre le mélange au sucre sur le maïs; mélanger.
Cuire au four 1 heure, en remuant toutes les 15 minutes.

Donne 7 litres

Trempette beaux rêves

240 g (8 oz) de fromage léger à la crème, ramolli
50 ml (¼ de tasse) de cassonade, bien tassée
175 ml (¾ de tasse) de purée de citrouille en conserve
5 ml (1 c. à thé) de cannelle moulue
10 ml (2 c. à thé) de sirop d'érable
½ courge d'hiver (tout type)
4 pommes coupées en tranches (ou tout autre fruit, au choix)

Mettre tous les ingrédients (sauf la courge et les pommes) dans un bol et battre au batteur à main à puissance moyenne jusqu'à ce que le tout soit bien mélangé.
Couvrir et mettre au réfrigérateur pour 30 minutes.
Enlevez les pépins et la chair de la courge avec une grande cuillère.
Une fois la trempette refroidie, en remplir la courge à la cuillère, laquelle servira de bol. Servir avec les tranches de pomme, ou les morceaux de fruit, au choix.

Donne de 4 à 6 portions

Craquelins chocolatés

Craquelins ordinaires
250 ml (1 tasse) de cassonade
2 bâtonnets de beurre
1 paquet de 225 g (7 oz) de pépites de chocolat

Préchauffer le four à 200 °C (400 °F).
Garnir de papier d'aluminium le fond et les côtés d'un moule de 33 cm x 23 cm x 5 cm (13 po x 9 po x 2 po). Déposer les craquelins en une seule couche sur le papier d'aluminium.
Dans une casserole moyenne, amener à ébullition la cassonade et le beurre, faire bouillir pendant 3 minutes. Verser le liquide sur les craquelins et cuire au four de 7 à 8 minutes.
Sortir du four et répartir uniformément les pépites de chocolat sur les craquelins. Alors que le chocolat est en train de fondre, l'étendre sur toute la surface des craquelins avec le dos d'une grosse cuillère.
Laisser refroidir jusqu'à ce que la préparation durcisse. Briser ou couper en morceaux.

Donne de 4 à 6 portions

Bonbons Tutti-Frutti

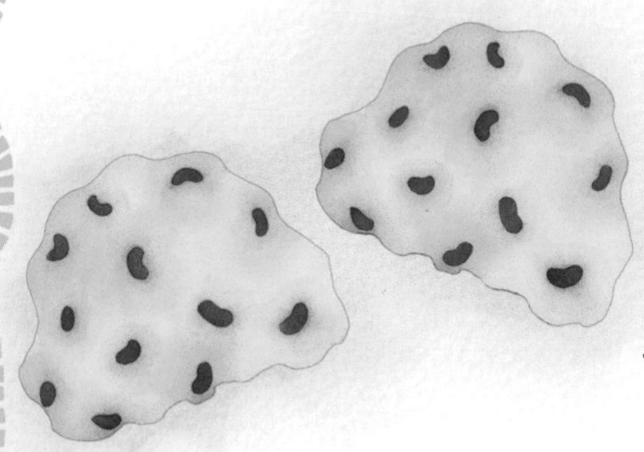

250 ml (1 tasse) de beurre ou de margarine, ramolli(e)
500 ml (2 tasses) de cassonade, bien tassée
2 œufs
125 ml (½ tasse) de babeurre
875 ml (3½ tasses) de farine tout-usage
5 ml (1 c. à thé) de bicarbonate de soude
5 ml (1 c. à thé) de sel
375 ml (1½ tasse) de noix hachées
500 ml (2 tasses) de cerises confites, coupées en demies
500 ml (2 tasses) de dattes, dénoyautées et hachées

Dans un grand bol, battre en crème le beurre et la cassonade. Incorporer en battant les œufs et le babeurre. Ajouter la farine, le bicarbonate de soude et le sel. Une fois le tout bien mélangé, ajouter en remuant les noix hachées, les cerises confites et les dattes hachées. Couvrir et réfrigérer la pâte pendant au moins une heure.

Préchauffer le four à 200 °C (400 °F).

Déposer de petites cuillerées de la pâte réfrigérée sur une plaque à biscuits légèrement graissée.

Cuire au four de 8 à 10 minutes.

Donne 8 douzaines

125 ml (½ tasse) de margarine
250 ml (1 tasse) de sucre
250 g (1 tasse) de dattes hachées
1 œuf
250 ml (1 tasse) de céréales Rice Krispies
175 ml (¾ de tasse) de pacanes hachées
Noix de coco émincée

Dans une casserole, combiner la margarine, le sucre, les dattes et l'œuf.

Cuire à feu doux pendant 10 minutes environ, en veillant à ne pas laisser brûler le mélange; laisser tiédir. Ajouter en remuant les Rice Krispies et les pacanes.

Faire des boules avec le mélange; les rouler dans la noix de coco, puis les déposer sur du papier ciré et les laisser refroidir.

Donne environ 20 boules

Lait fouetté bonne nuit

250 ml (1 tasse) de lait ou de lait de soja à la vanille
5 ml (1 c. a thé) de miel

Dans une casserole chauffez légèrement le lait à feu moyen. Versez sur le miel, brassez. Verser dans sa tasse préférée.

Donne 1 portion

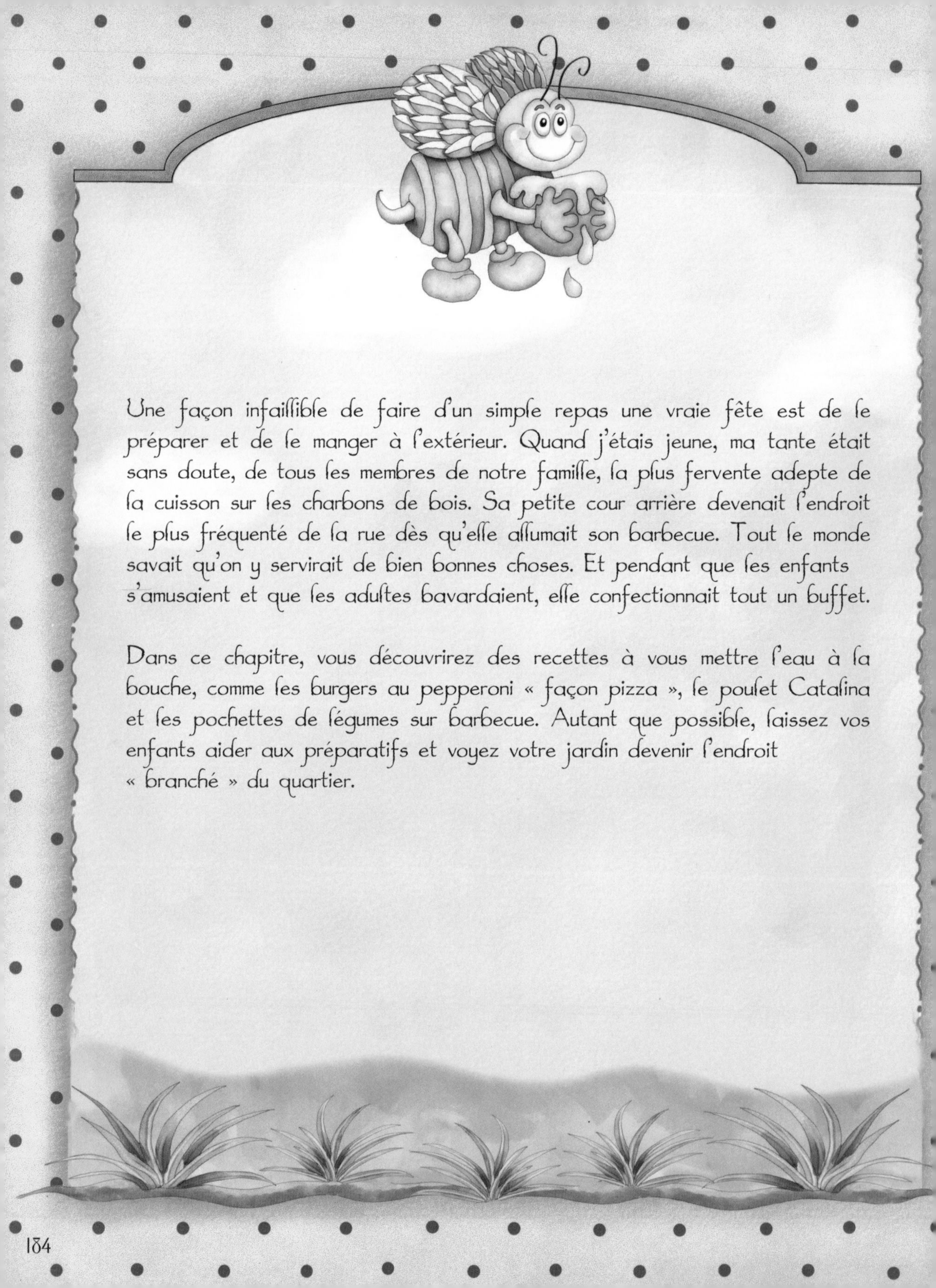

Une façon infaillible de faire d'un simple repas une vraie fête est de le préparer et de le manger à l'extérieur. Quand j'étais jeune, ma tante était sans doute, de tous les membres de notre famille, la plus fervente adepte de la cuisson sur les charbons de bois. Sa petite cour arrière devenait l'endroit le plus fréquenté de la rue dès qu'elle allumait son barbecue. Tout le monde savait qu'on y servirait de bien bonnes choses. Et pendant que les enfants s'amusaient et que les adultes bavardaient, elle confectionnait tout un buffet.

Dans ce chapitre, vous découvrirez des recettes à vous mettre l'eau à la bouche, comme les burgers au pepperoni « façon pizza », le poulet Catalina et les pochettes de légumes sur barbecue. Autant que possible, laissez vos enfants aider aux préparatifs et voyez votre jardin devenir l'endroit « branché » du quartier.

BARBECUE SUR LA TERRASSE

Burgers au pepperoni « façon pizza »

450 g (1 lb) de bœuf haché maigre
115 g (¼ lb) de pepperoni, haché
50 ml (¼ de tasse) de chapelure assaisonnée à l'italienne
1 gousse d'ail, hachée
125 ml (½ tasse) de sauce à pizza
6 petits pains à hamburgers à l'oignon
250 ml (1 tasse) de fromage mozzarella râpé

Préchauffer le barbecue à température élevée.

Dans un bol, mêler ensemble le bœuf haché, le pepperoni, la chapelure, l'ail et la sauce à pizza. Façonner le mélange en galettes à hamburger.

Huiler la grille. Placer les galettes de viande sur la grille du barbecue et cuire 5 minutes de chaque côté, ou jusqu'à ce qu'elles soient bien cuites.

Griller les petits pains à l'oignon.

Pour préparer les burgers, mettre une galette de viande sur une moitié de pain, parsemer de fromage mozzarella et couvrir avec l'autre moitié du pain.

Donne 6 portions

Hamburgers si bons qu'on les dévore

Sauce :
125 ml (½ tasse) de ketchup
15 ml (1 c. à table) de sauce Worcestershire
1 ml (¼ de c. à thé) de poivre noir

Hamburgers :
450 g (1 lb) de dinde hachée
75 ml (⅓ de tasse) de flacons d'avoine à cuisson instantanée
4 petits pains à hamburgers de blé entier

Préchauffer le barbecue ou le grilloir (le grill) du four.

Sauce : Dans un petit bol, combiner le ketchup, la sauce Worcestershire et le poivre. Réserver.

Burgers : Dans un grand bol, combiner la dinde hachée avec les flocons d'avoine. Ajouter la moitié de la sauce, bien mélanger. Façonner 4 grandes galettes.

Griller sur la grille graissée du barbecue ou sous le grilloir à 15 cm (6 po) de l'élément, de 5 à 7 minutes par côté.

Badigeonner avec le reste de la sauce après avoir retourné les burgers.

Placer les galettes dans les petits pains, ajouter les garnitures au goût, et régalez-vous!

Donne 4 portions

Petit marmiton

Fais des galettes avec la viande de dinde. N'oublie pas de bien te laver les main avant et après ton travail.

Sous-marins à la saucisse avec sauce barbecue au miel

900 g (2 lb) de saucisse italienne, coupée en 8 à 10 tranches
1 gros poivron rouge, coupé en gros morceaux
1 gros oignon rouge coupé en morceaux
375 ml (1½ tasse) de sauce barbecue au miel et à la moutarde
8 pains à sous-marins, coupés dans le sens de la longueur
225 g (½ lb) de provolone en tranches

Mettre la saucisse, le poivron rouge, l'oignon rouge et la sauce barbecue au miel et à la moutarde dans un grand bol. Couvrir et laisser mariner au réfrigérateur au moins 1 heure.

Préchauffer le barbecue à température élevée et huiler légèrement la grille.

Placer le mélange de saucisse et de légumes sur la grille et arroser avec la marinade au miel et à la moutarde; jeter le reste de la marinade.

Griller 8 à 10 minutes, en tournant de temps en temps.

Placer une tranche de saucisse et des légumes cuits sur les pains à sous-marins. Garnir d'une tranche de provolone.

Donne 8 portions

Sauce barbecue aux bleuets

250 ml (1 tasse) de bleuets frais
375 ml (1½ tasse) de ketchup
25 ml (⅛ de tasse) de cassonade
1 ml (¼ de c. à thé) de moutarde en poudre
30 ml (2 c. à table) de vinaigre balsamique

Dans le bol du mélangeur, réduire les bleuets en purée.
Dans un bol moyen, mêler ensemble les bleuets en purée, le ketchup, la cassonade, la moutarde en poudre et le vinaigre balsamique jusqu'à ce que le mélange soit homogène.
Sert à arroser le porc, le boeuf ou le poulet au barbecue.

Donne 500 ml (2 tasses)

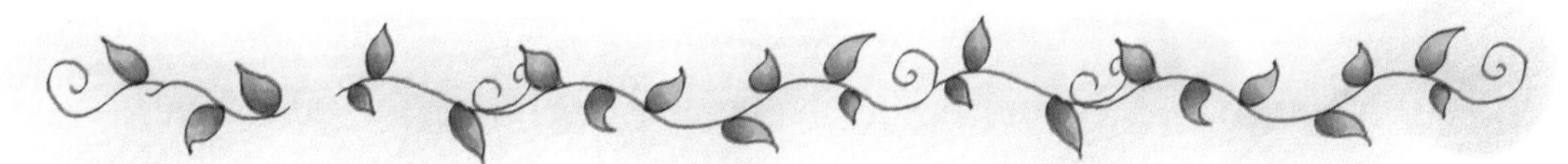

Relish vite faite pour hot-dogs!

250 ml (1 tasse) d'oignon haché
125 ml (½ tasse) de poivron vert haché
125 ml (½ tasse) de cornichons à l'aneth, hachés
50 ml (¼ de tasse) de piment haché
50 ml (¼ de tasse) de céleri haché
50 ml (¼ de tasse) de cornichons sucrés hachés
250 ml (1 tasse) de moutarde brune ou jaune
250 ml (1 tasse) de ketchup
50 ml (¼ de tasse) de raifort préparé
10 ml (2 c. à thé) de sauce Worcestershire

Dans un grand bol, mêler ensemble tous les ingrédients. Placer le mélange dans un contenant avec couvercle. Peut être conservé jusqu'à 5 jours au réfrigérateur.

Donne environ 1 litre (4 tasses)

Cuisses de poulet au barbecue

125 ml (½ tasse) de sauce de soja
30 ml (2 c. à table) de sucre
15 ml (1 c. à table) de cassonade
15 ml (1 c. à table) de vinaigre de vin blanc
5 ml (1 c. à thé) de moutarde sèche
2 ml (½ c. à thé) de poudre d'ail
1 ml (¼ de c. à thé) de poudre d'oignon
8 ml (½ c. à table) de poivre
12 cuisses de poulet avec la peau
Huile végétale ou enduit végétal à vaporiser

Dans un grand bol, combiner la sauce de soja, le sucre et la cassonade, le vinaigre de vin et les épices; bien mélanger jusqu'à dissolution complète du sucre.

Ajouter les cuisses de poulet et bien les enrober avec le mélange. Couvrir, réfrigérer, et laisser mariner au moins 4 heures ou toute la nuit.

Graisser légèrement la grille de cuisson à l'huile végétale ou avec un enduit végétal à vaporiser.

Griller le poulet, sans couvrir, sur un gril à charbon de bois avec des charbons dégageant peu de chaleur, ou sur un barbecue au gaz à feu moyen-élevé. Cuire environ 5 minutes, jusqu'à ce que la surface commence à dorer, puis tourner les cuisses. Continuez de les tourner toutes les 5 minutes jusqu'à cuisson complète.

Donne 6 portions

Poulet Catalina

4 à 5 poitrines de poulet désossées
250 ml (8 oz) de vinaigrette *Catalina*

Dans un grand bol, faire mariner les poitrines de poulet dans la vinaigrette *Catalina* pendant 20 minutes.
Cuire au barbecue, en tournant fréquemment, jusqu'à ce que la viande ait perdu sa teinte rosée.

Donne 4 à 5 portions

Suggestion : Servir avec du maïs en épi et de la salade.

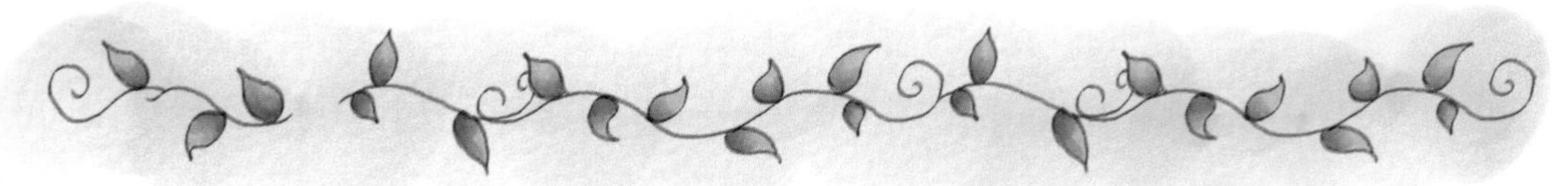

Brochettes de poulet

Bâtonnets à brochette en bois de 20 cm (8 po)
4 moitiés de poitrines de poulet désossées, sans peau, coupées en cubes
1 gros poivron vert, coupé en morceaux de 5 cm (2 po)
1 oignon, coupé en sections
1 gros poivron rouge, coupé en morceaux de 5cm (2 po)
250 ml (1 tasse) de sauce barbecue

Préchauffer le barbecue à température élevée.

Faire tremper les bâtonnets en bois 30 minutes dans de l'eau chaude pour les empêcher de brûler sur le barbecue.

Enfiler sur les brochettes, en alternant, les morceaux de poulet, de poivron vert, d'oignon et de poivron rouge.
Huiler légèrement la grille du barbecue. Y placer les brochettes, et badigeonner de sauce barbecue.
Faire cuire, en tournant et en badigeonnant fréquemment de sauce barbecue, pendant 15 minutes, ou jusqu'à ce que le jus de cuisson qui s'écoule du poulet soit clair.

Donne 4 portions

Brochettes de porc

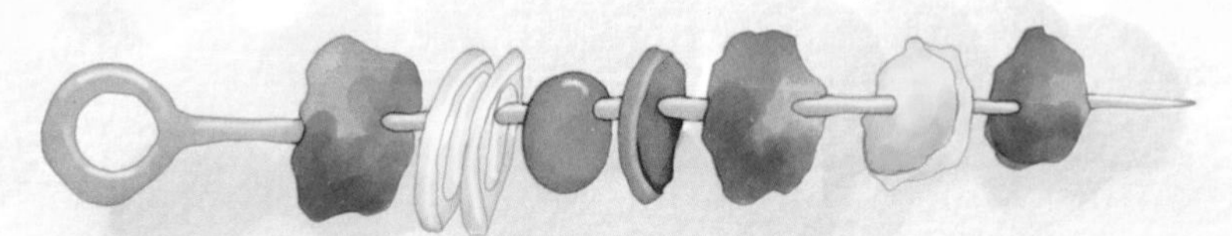

8 bâtonnets à brochette en bois de 20 cm (8 po)
450 g (1 lb) de longe ou de filet de porc, en cubes
375 ml (1½ tasse) d'ananas frais, en cubes
1 poivron rouge, en morceaux
1 poivron vert, en morceaux
1 oignon doux, en morceaux
500 ml (2 tasses) de tomates cerise

50 ml (¼ de tasse) de sauce de soja faible en sodium
30 ml (2 c. à table) de jus de citron
30 ml (2 c. à table) de miel ou de cassonade
5 ml (1 c. à thé) d'huile végétale
2 ml (½ c. à thé) de racine de gingembre, émincée

Faire tremper les bâtonnets en bois 30 minutes dans de l'eau chaude pour les empêcher de brûler sur le barbecue.

Préparer le porc et les légumes, en utilisant des couteaux et des planches à découper différentes.

Dans un bol moyen, combiner la sauce de soja, le jus de citron, le miel, l'huile et le gingembre. Ajouter les cubes de porc, et remuer pour bien les enrober. Couvrir le bol et laisser mariner au moins 30 minutes, ou toute la nuit au réfrigérateur.

Enfiler sur les bâtonnets, en alternant, les morceaux de porc, d'ananas, de poivron rouge, de poivron vert, d'oignon, et de tomates. Badigeonner les brochettes de marinade, puis jeter le reste de la marinade.

Préchauffer le barbecue ou le grilloir du four.

Cuire les brochettes 10 à 12 minutes sur le barbecue à feu moyen-élevé, en les tournant une fois, ou jusqu'à ce que le porc ne soit plus que très légèrement rosé au centre.

Si désiré, cuire sous le grilloir 10 à 15 minutes, en tournant une fois, ou jusqu'à ce que le porc soit bien cuit.

Donne 4 portions

Côtes de porc levées au barbecue

2 oignons, hachés
500 ml (2 tasses) de ketchup
50 ml (¼ de tasse) de vinaigre de cidre
50 ml (¼ de tasse) de jus de citron
30 ml (2 c. à table) de moutarde
50 ml (¼ de tasse) de cassonade
10 ml (2 c. à thé) de sel
5 ml (1 c. à thé) de poivre noir moulu
50 ml (¼ de tasse) de jus d'orange
5 ml (1 c. à thé) de marmelade d'orange
5 ml (1 c. à thé) de sauce Tabasco
1,3 kg (3 lb) de côtes levées de porc, de flanc ou de dos

Dans un bol moyen, combiner les oignons, le ketchup, le vinaigre, le jus de citron, la moutarde, la cassonade, le sel, le poivre noir moulu, le jus d'orange, la marmelade et la sauce Tabasco.

Placer les côtes levées, les os vers le bas, sur une grille graissée, à feu doux.

Griller, sans couvrir, 30 minutes de chaque côté, puis badigeonner avec le mélange de sauce barbecue.

Griller 30 minutes de plus ou jusqu'à cuisson complète, en tournant et badigeonnant avec la sauce toutes les 10 minutes. La durée totale de cuisson devrait être de 90 minutes environ.

Donne 6 portions

Côtelettes d'agneau marinées au citron

45 ml (3 c. à table) de jus de citron
2 ml (½ c. à thé) de sel
45 ml (3 c. à table) d'huile d'olive
15 ml (1 c. à table) de feuilles de menthe hachées fin
2 ml (½ c. à thé) de poivre moulu
8 côtelettes de longe d'agneau

Dans un plat peu profond, combiner tous les ingrédients et verser le mélange sur les côtelettes d'agneau.

Couvrir le plat et laisser mariner une heure au moins à la température ambiante, en retournant les côtelettes toutes les 15 minutes.

Cuire au barbecue à feu vif 3 minutes par côté, ou jusqu'à ce que les côtelettes soient cuites au goût.

Donne 4 à 8 portions

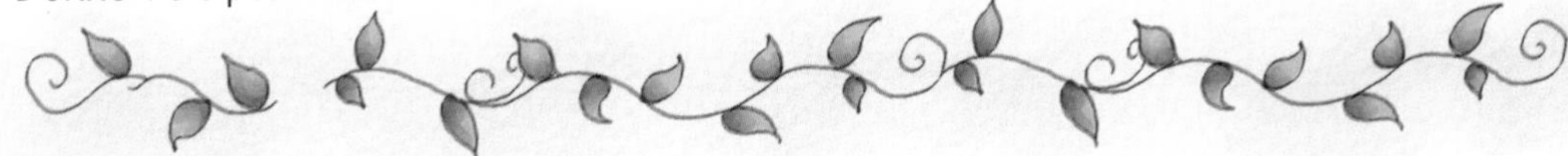

Épis de maïs bicolores au barbecue

6 épis de maïs bicolores
90 ml (6 c. à table) de beurre, ramolli
Sel et poivre, au goût

Préchauffer le barbecue à température élevée et huiler légèrement la grille.
Replier les feuilles des épis et retirer la barbe.
Placer 15 ml (1 c. à table) de beurre sur chaque épi, saler et poivrer et refermer les feuilles.
Envelopper chaque épi dans du papier d'aluminium bien serré.
Les placer sur le gril.
Cuire environ 30 minutes, en tournant de temps en temps, jusqu'à ce que le maïs soit tendre.

Donne 6 portions

Brochettes de crevettes à la lime

3 grosses limes
2 gousses d'ail, finement hachées
1 ml (¼ de c. à thé) de poivre noir
10 ml (2 c. à thé) d'huile d'olive
30 ml (2 c. à table) de coriandre fraîche, hachée
16 grosses crevettes non cuites, décortiquées et déveinées
8 petits champignons de Paris
8 tomates cerise moyennes

Presser le jus de lime dans une tasse à mesurer. Ajouter l'ail, le poivre, l'huile d'olive et la coriandre; bien mélanger.

Mettre les crevettes et les champignons dans un bol moyen et les recouvrir de la marinade. Laisser mariner 10 à 15 minutes au réfrigérateur.

Préchauffer le grilloir du four ou allumer le barbecue. Égoutter les crevettes et les champignons, réserver la marinade.

Enfiler, en alternant, les tomates cerise, les champignons et les crevettes sur 4 brochettes.

Griller les brochettes à feu moyen 3 à 4 minutes par côté, jusqu'à ce que les crevettes ne soient plus transparentes. Pendant la cuisson, arroser fréquemment les brochettes avec la marinade.

Donne 4 portions

Petit marmiton

Prépare les brochettes en enfilant les tomates cerise, les champignons et les crevettes sur les bâtonnets.

Brochettes aux légumes à la sauce très aillée

Sauce très aillée :
1 tête d'ail au complet, dont on a retranché
1 cm (½ po) de la pointe
1 tomate mûre
15 ml (1 c. à table) de sauce dijonnaise (mélange crémeux à base de moutarde de Dijon)
2 gouttes de sauce Tabasco
5 ml (1 c. à thé) de sauce Worcestershire
5 ml (1 c. à thé) de poivre noir moulu
125 ml (½ tasse) d'huile d'olive

Préchauffer le four à 200 °C (400 °F).

Dans un plat allant au four, faire rôtir l'ail avec la tomate 30 minutes. (La peau de la tomate va peler et l'ail va commencer à suinter.)
Sortir les gousses d'ail de leur enveloppe et les mettre dans le bol du mélangeur.
Hacher grossièrement la tomate rôtie et l'ajouter dans le bol.
Les mettre en purée avec la sauce dijonnaise, la sauce Tabasco, la sauce Worcestershire et le poivre.
Ajouter lentement l'huile d'olive jusqu'à obtention d'un mélange épais. Réserver.

Brochettes de légumes :
8 brochettes en bois
½ courgette verte, coupée en morceaux de 2,5 cm (1 po)
½ courgette jaune, coupée en morceaux de 2,5 cm (1 po)
8 tomates cerise
1 oignon rouge, coupé en 8 sections
8 champignons, nettoyés
1 petit poivron orange, évidé et coupé en morceaux
Huile d'olive pour badigeonner

Faire tremper les brochettes en bois dans de l'eau chaude 10 minutes au moins.
Répartir et enfiler les légumes sur les brochettes, de façon à placer 2 morceaux de chaque légume sur chacune.
Badigeonner à l'huile d'olive et faire griller sous le grilloir du four ou cuire au barbecue 2 à 3 minutes par côté.
Déposer les brochettes cuites sur un grand plat de service et les recouvrir d'un filet de sauce à l'ail.

Donne 8 brochettes

Pochettes de légumes sur barbecue

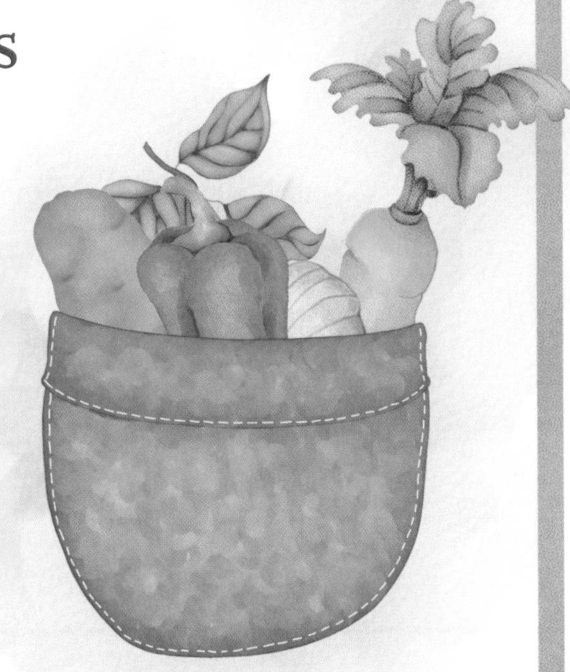

225 g (½ lb) de pommes de terre nouvelles, coupées en tranches fines
1 gros poivron rouge, évidé et coupé en morceaux de 2,5 cm (1 po)
1 gros oignon, en sections de 0,5 cm (¼ po)
150 g (5 oz) de haricots verts frais, coupés en morceaux de 2,5 cm (1 po)
1 brin de romarin frais
30 ml (2 c. à table) d'huile d'olive
5 ml (1 c. à thé) de sel
5 ml (1 c. à thé) de poivre
30 ml (2 c. à table) d'huile d'olive

Préchauffer le barbecue à température élevée.

Dans un grand bol, combiner les pommes de terre, le poivron rouge, l'oignon, les haricots verts et le romarin. Ajouter en remuant 30 ml (2 c. à table) d'huile d'olive et assaisonner avec le sel et le poivre.

En utilisant 2 à 3 épaisseurs de papier d'aluminium, préparer la quantité désirée de pochettes.

Badigeonner l'intérieur des pochettes avec le reste de l'huile d'olive, puis répartir les légumes de façon égale dans les pochettes et les fermer hermétiquement.

Placer les pochettes sur la grille du barbecue préchauffée.

Cuire 30 minutes, en tournant une fois, ou jusqu'à ce que les pommes de terre soient tendres.

Donne 6 portions

Pendant de nombreuses années, nous avons vécu dans un climat très chaud et humide. Presque toutes les cours du voisinage avaient une piscine. Ce n'était pas vraiment un luxe, plutôt une nécessité. Le temps d'aller de la porte d'entrée à la voiture, on avait l'impression de traverser un sauna.

Chaque fin de semaine, à tour de rôle, une famille organisait une fête autour de la piscine. Les invités apportaient chacun un plat à partager avec tous. On installait le buffet dans la cuisine. Comme à l'habitude, les enfants jouaient dans l'eau jusqu'à épuisement, tandis que les adultes surveillaient leurs activités tout en bavardant entre eux de bon cœur. Ces fêtes autour de la piscine étaient une façon idéale de nous accommoder au mieux de la chaleur et de l'humidité extrêmes de la saison et, en même temps, de profiter du plaisir de partager d'excellents mets en bonne compagnie.

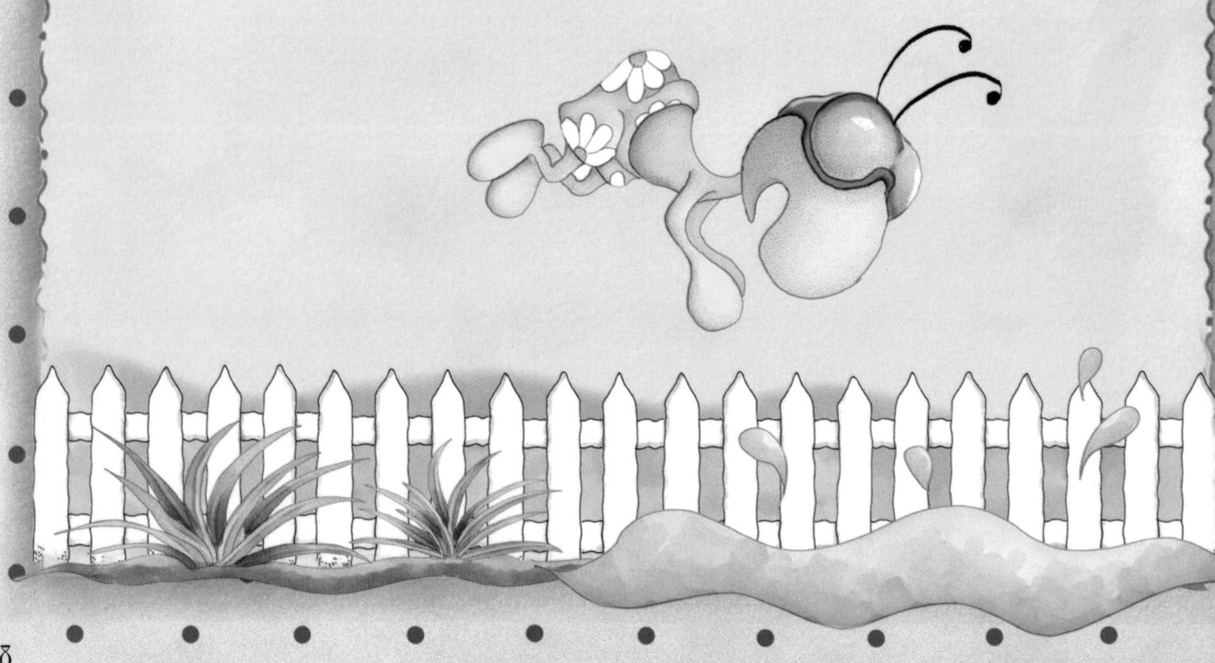

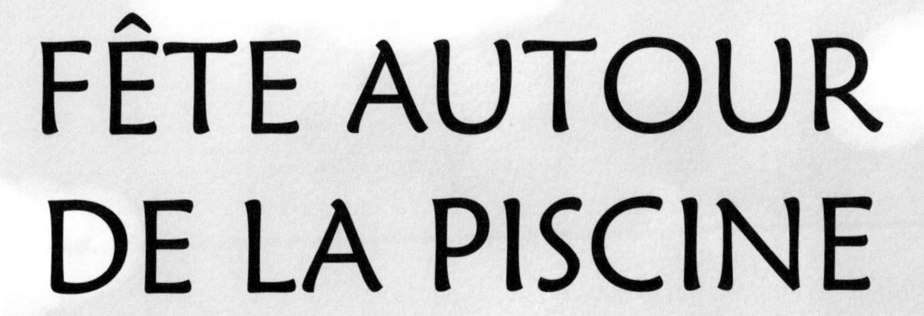

FÊTE AUTOUR DE LA PISCINE

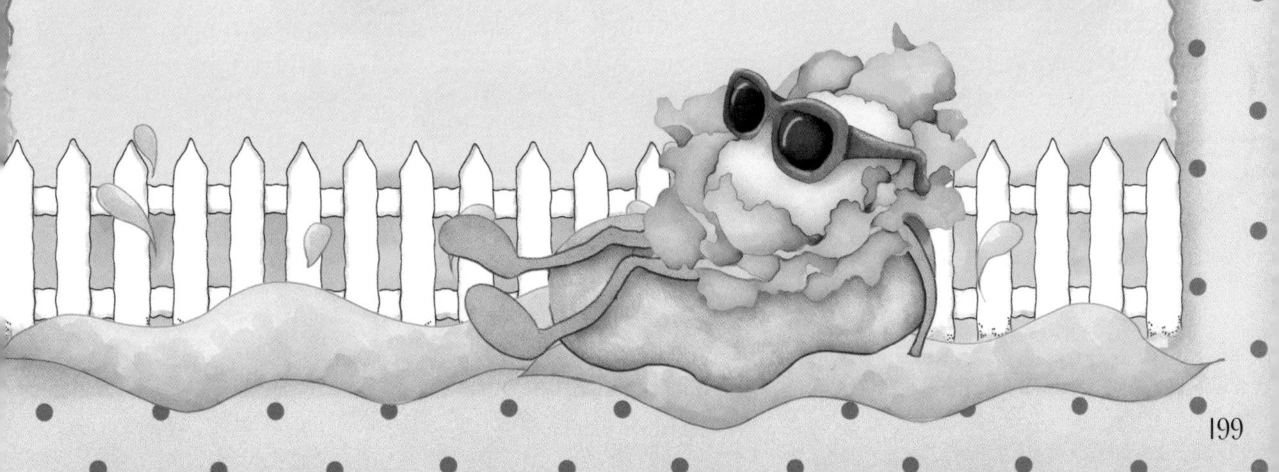

Languettes de poulet au sésame

125 ml (½ tasse) de miel
75 ml (⅓ de tasse) de vinaigre de sésame
125 ml (½ tasse) d'eau
50 ml (¼ de tasse) de sauce de soja
15 ml (1 c. à table) de ketchup
30 ml (2 c. à table) de fécule de maïs

750 ml (3 tasses) de céréales émiettées (par ex. des flocons de maïs)
175 ml (¾ de tasse) de parmesan
175 ml (¾ de tasse) de graines de sésame
125 ml (½ tasse) de babeurre
2 œufs
1,350 kg (3 lb) de filets de poulet

Sauce aigre-douce :
Mettre le miel, le vinaigre, l'eau, la sauce de soja, le ketchup et la fécule de maïs dans une casserole moyenne et amener à ébullition. Remuer constamment jusqu'à ce que le mélange épaississe. Réfrigérer au moins 1 heure avant d'utiliser.

Poulet :
Préchauffer le four à 180 °C (350 °F).
Dans un bol, mélanger les céréales émiettées, le parmesan et les graines de sésame.
Dans un autre bol battre le babeurre avec les œufs.
Rincer les filets de poulet à l'eau courante, les sécher en les épongeant avec un essuie-tout.
Plonger le poulet dans le mélange au babeurre, puis le paner avec le mélange de miettes de céréales.
Placer les filets de poulet panés dans un plat peu profond allant au four.
Cuire de 20 à 30 minutes dans le four préchauffé.
Servir chaud avec la sauce aigre-douce, ou laisser refroidir pendant la nuit et servir froid le lendemain.

Donne 10 à 12 portions

Salade de pommes de terre les pieds dans l'eau

4 œufs
4 pommes de terre nouvelles
500 ml (2 tasses) de tomates cerise ou tomates raisin
1 poivron doux (jaune, rouge ou vert), vidé et coupé en fines lamelles
1 petit concombre, tranché
2 laitues, coupées en morceaux ou en lanières
1 petit oignon rouge, coupé en fines rondelles
1 boîte de thon en conserve, égoutté
20 olives Kalamata (facultatif)

25 ml (1/8 de tasse) de vinaigre balsamique ou de riz
Le zeste d'un citron, râpé
Le jus de 2 citrons
2 brins de persil, hachés fin
15 ml (1 c. à table) de menthe, hachée fin
1 ml (1/4 de c. à thé) de sel
2 ml (1/2 c. à thé) de poivre moulu
50 ml (1/4 de tasse) d'huile d'olive

Salade :

Cuire les œufs à l'eau bouillante pendant 10 minutes. Retirer les œufs cuits et les mettre dans un bol moyen. Tenir le bol sous l'eau courante froide pendant une minute ou deux. Écaler les œufs et les laisser refroidir sur une planche à découper propre.
Cuire les pommes de terre dans une casserole d'eau bouillante environ 10 minutes, jusqu'à ce qu'elles soient tendres et que leur peau se crevasse. Les retirer de l'eau et les laisser refroidir sur une planche à découper propre.
Couper en quartiers les œufs refroidis et les placer dans un grand bol.
Ajouter les tomates cerise, le poivron, le concombre, la laitue, l'oignon, le thon (et les olives).
Couper les pommes de terre en petits morceaux.
Les ajouter à la salade.

Sauce pour salade :

Mettre dans un petit bol le vinaigre, le jus de citron, le zeste, le persil, la menthe, le sel et le poivre. Ajouter l'huile en remuant.
Verser la sauce sur la salade et mélanger avec de grandes cuillères de service, pour l'enrober de façon égale. Réfrigérer 30 minutes avant de servir.

Donne 4 à 6 portions

Trempette rafraîchissante au concombre

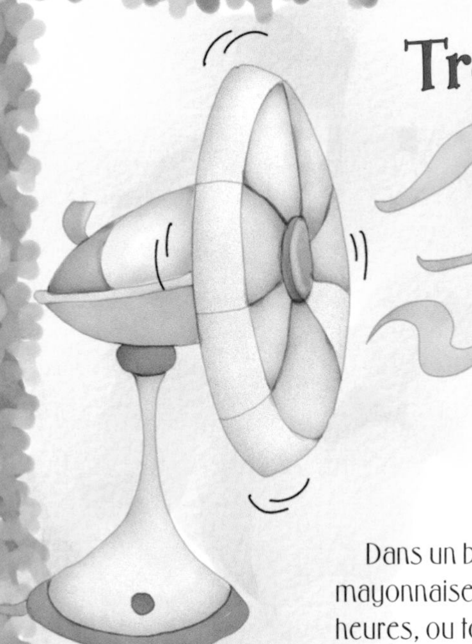

250 ml (1 tasse) de concombre pelé, épépiné et râpé
250 ml (1 tasse) de crème sure
250 ml (1 tasse) de mayonnaise
10 ml (2 c. à thé) d'aneth séché
1 ml (¼ de c. à thé) de sel
0,5 ml (⅛ de c. à thé) de poivre noir moulu

Dans un bol moyen, mélanger le concombre, la crème sure, la mayonnaise, l'aneth, le sel et le poivre. Couvrir et réfrigérer huit heures, ou toute la nuit, avant de servir.

Accompagne bien concombres, carottes et poivrons tranchés.

Donne environ 625 ml (2½ tasses)

Trempette crémeuse à l'aneth

250 ml (1 tasse) de mayonnaise
30 ml (2 c. à table) d'oignon, haché fin
15 ml (1 c. à table) d'aneth frais émincé
15 ml (1 c. à table) de lait

Dans un petit bol, mêler tous les ingrédients et bien mélanger. Réfrigérer. Accompagne bien des légumes crus coupés en morceaux.

Donne 250 ml (1 tasse)

Salade de pâtes d'Hercule

1 paquet de 450 g (16 oz) de pâtes papillon ou de roues de wagon
125 ml (½ tasse) de fleurons de brocoli, coupés en dés
125 ml (½ tasse) de fleurons de chou-fleur, coupés en dés
1 boîte de 540 ml (18 oz) de haricots noirs en conserve, égouttés
125 ml (½ tasse) d'olives noires tranchées en conserve, égouttées
1 poivron vert moyen, évidé et coupé en dés
250 ml (1 tasse) de tomates cerise, coupées en demies
120 g (4 oz) de féta, émietté
250 ml (1 tasse) de vinaigrette italienne
Sel et poivre au goût

Amener une grande casserole d'eau légèrement salée à ébullition. Ajouter les pâtes, et les cuire jusqu'à ce qu'elles soient tendres, soit environ 8 minutes.

Ajouter le brocoli et le chou-fleur à l'eau bouillante, 5 minutes avant la fin. Égoutter les pâtes et les légumes et les passer sous l'eau froide.

Dans un grand saladier, mélanger les haricots noirs, les olives, le poivron vert, les tomates cerise, le féta et la vinaigrette italienne.

Ajouter en remuant les pâtes, le brocoli et le chou-fleur. Assaisonner de sel et poivre, au goût.

Réfrigérer au moins 1 heure avant de servir.

Donne 10 à 12 portions

Salade de carottes et raisins secs

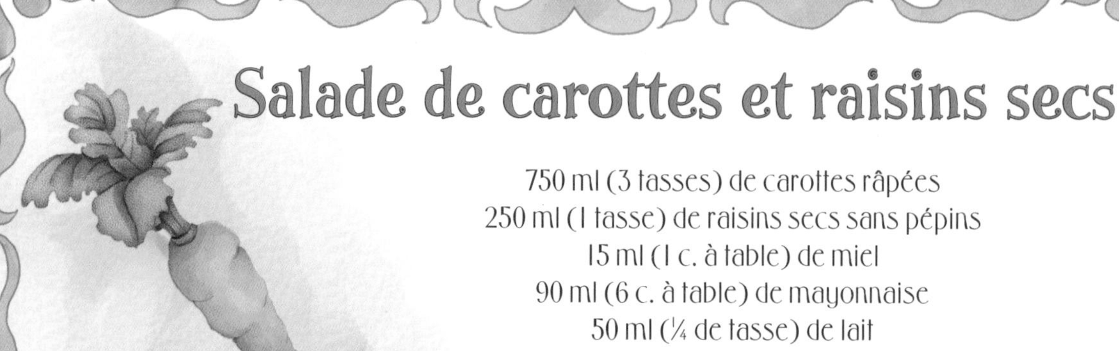

750 ml (3 tasses) de carottes râpées
250 ml (1 tasse) de raisins secs sans pépins
15 ml (1 c. à table) de miel
90 ml (6 c. à table) de mayonnaise
50 ml (¼ de tasse) de lait
5 ml (1 c. à thé) de jus de citron
1 ml (¼ de c. à thé) de sel (facultatif)

Dans un grand bol, combiner les carottes et les raisins, en les remuant légèrement.
Dans un autre bol, mélanger les autres ingrédients.
Verser ce dernier mélange sur les carottes et les raisins secs. Remuer soigneusement jusqu'à ce que le tout soit bien mélangé.
Bien réfrigérer avant de servir.

Donne 6 à 8 portions

Salade de fraises

2 paquets de poudre pour gelée aux fraises (petit format)
250 ml (1 tasse) d'eau bouillante
2 paquets de 300 ml (10 oz) de fraises
1 boîte de 398 ml (1 ¾tasse) d'ananas broyé en conserve, égoutté
2 bananes moyennes, tranchées
250 ml (1 tasse) de noix hachées
500 ml (2 tasses) de crème sure

Dans un grand bol, dissoudre la gelée dans l'eau bouillante. Incorporer les fraises.
Dans un autre bol, mélanger ensemble l'ananas, les bananes et les noix. Incorporer au mélange de gelée.
Verser la moitié du mélange dans un plat en verre. Réfrigérer jusqu'à ce qu'il devienne ferme. (Conserver l'autre moitié du mélange au réfrigérateur.)
Étaler la crème sure sur la gelée déjà dans le plat. Couvrir avec le reste de gelée. Réfrigérer jusqu'à ce que le mélange soit bien ferme.

Donne 4 à 6 portions

Pizza aux fruits

1 rouleau de 500 g (18 oz) de pâte à biscuits au sucre surgelée
125 g (4 oz) de fromage à la crème, ramolli
75 ml (1/3 de tasse) de sucre
5 ml (1 c. à thé) de vanille
175 ml (3/4 de tasse) de crème fouettée, réfrigérée
Fruits frais assortis :

- Fraises en demies
- raisins
- bleuets
- tranches de pêches
- framboises
- tranches de bananes

125 ml (1/2 tasse) de confiture d'abricot
10 ml (1 c. à table) d'eau

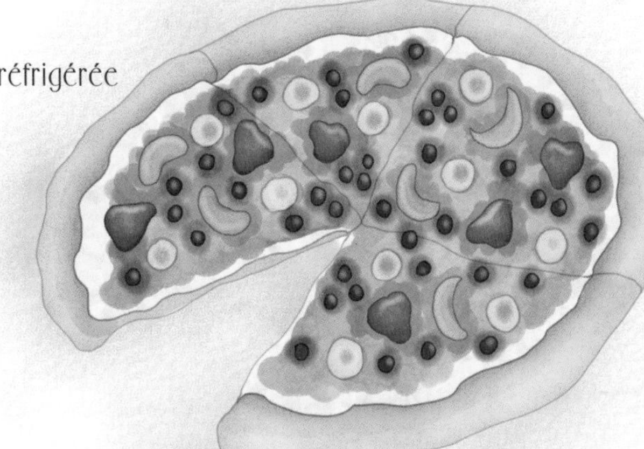

Préchauffer le four selon les instructions de l'emballage de pâte à biscuits.
Couper la pâte à biscuits en tranches de 6 mm (1/4 po) d'épaisseur.
Les déposer côte à côte sur une plaque à pizza ronde.
Faire cuire au four, selon les instructions de l'emballage. Laisser refroidir complètement.

Dans un petit bol, battre ensemble au batteur électrique à faible puissance le fromage à la crème, le sucre et la vanille jusqu'à ce que le mélange soit lisse.
Ajouter la crème fouettée au mélange, et battre à puissance moyenne jusqu'à formation de pics fermes.
Étaler sur la pâte à biscuits.
Décorer avec les fruits. Dans une petite casserole, à feu très doux, préparer un glaçage en chauffant la confiture d'abricots avec l'eau. Badigeonner les fruits avec le glaçage.
Réfrigérer 2 heures au moins.

Donne 8 à 10 portions

Remarque : Ne se conserve pas très longtemps.
À déguster sur-le-champ!

Salade Waldorf

175 ml (¾ de tasse) de pacanes hachées
3 pommes à tarte vertes, de taille moyenne, évidées et coupées en morceaux
45 ml (3 c. à table) de jus de citron
1 branche de céleri, hachée
500 ml (2 tasses) de raisins verts sans pépins, en demies
250 ml (1 tasse) de cheddar en dés

Sauce pour salade :
250 ml (1 tasse) de yogourt nature
50 ml (¼ de tasse) de mayonnaise
125 ml (½ tasse) de jus d'orange
Le zeste d'une demie orange, râpé (facultatif)

Passer les pacanes sous le gril jusqu'à ce qu'elles soient légèrement dorées, soit 3 à 5 minutes, en veillant à ne pas les brûler.
Préparer tous les ingrédients de la salade et les mélanger dans un grand saladier. Dans un petit bol, battre ensemble tous les ingrédients de la sauce pour salade. Verser sur la salade et bien mélanger.

Donne 4 à 6 portions

Salade de mandarines

1 contenant de fromage cottage (petit format)
1 paquet de poudre pour gelée à l'orange (gros format)
1 boîte d'ananas broyé en conserve, égoutté (format moyen)
1 boîte de mandarines en conserve, égouttées
375 ml (1½ tasse) de garniture fouettée

Dans un grand bol, mélanger légèrement le fromage cottage et la poudre pour gelée. Ajouter l'ananas et les mandarines en remuant doucement. Incorporer la garniture fouettée.
Réfrigérer jusqu'à ce que le mélange devienne ferme.

Donne 4 à 6 portions

Trempette mexicaine pour tacos

1 contenant de 500 g (17 oz) de crème sure
1 contenant de 250 g (8 oz) de fromage à la crème, ramolli
30 g (1 oz) d'assaisonnements pour tacos
1 sachet de 400 g (13 oz) de cheddar râpé
1 bocal de 430 ml (15 oz) de salsa prête à l'emploi
250 ml (1 tasse) de laitue hachée
1 tomate, coupée en dés
2 oignons verts, coupés en rondelles
450 g (1 lb) de croustilles de maïs

Dans un grand bol, mêler ensemble la crème sure, le fromage à la crème et les assaisonnements pour tacos. Répartir le mélange dans un plat de service de taille moyenne. Ajouter le cheddar, la salsa et la laitue en couches successives. Parsemer de la tomate en dés et des rondelles d'oignon. Accompagne les croustilles de maïs.

Donne 12 à 24 portions

Salsa de fruits frais

½ oignon rouge, haché fin
1 mangue, coupée en dés
250 ml (1 tasse) de melon d'eau, coupé en dés
50 ml (¼ de tasse) de coriandre, hachée fin
15 ml (1 c. à table) de jus de lime
8 ml (½ c. à table) d'huile d'olive
2 oranges coupées en quartiers puis en petits morceaux et épépinées
1 pamplemousse coupé en quartiers puis en petits morceaux et épépiné

Combiner tous les ingrédients dans un bol.
Couvrir et réfrigérer au moins 1 heure avant de servir.
Servir avec du poisson ou du poulet grillé, ou tout autre mets mexicain.

Donne 8 portions

Aspic de pommes à la cannelle

1 paquet de 85 g (3 oz) de poudre pour gelée parfumée au citron
50 ml (¼ de tasse) de bonbons rouges à la cannelle
250 ml (1 tasse) d'eau bouillante
250 ml (1 tasse) de compote de pommes non sucrée
8 ml (½ c. à table) de jus de citron
0,5 ml (⅛ de c. à thé) de sel
50 ml (¼ de tasse) de noix hachées
250 ml (1 tasse) de fromage cottage

Dans un bol, verser l'eau bouillante et y dissoudre la poudre pour gelée et les bonbons rouges à la cannelle. Ajouter en remuant la compote, le jus de citron et une pincée de sel. Réfrigérer jusqu'à ce que le mélange ait partiellement pris.
Ajouter les noix en remuant et verser dans un moule de 20 cm x 20 cm x 5 cm (8 po x 8 po x 2 po).
Passer le fromage cottage au mélangeur jusqu'à ce qu'il soit lisse.
Étaler le fromage sur la gélatine et l'incorporer à la salade en tournant l'ustensile juste assez pour obtenir un effet marbré.
Réfrigérer jusqu'à ce que le mélange soit ferme.

Donne 4 à 5 portions

Surprise aux bleuets

2 paquets de poudre pour gelée (petit format de n'importe quelle saveur de petits fruits)
500 ml (2 tasses) d'eau bouillante
2 boîtes d'ananas broyé en conserve, égoutté (petit format)
1 boîte de garniture de tarte aux bleuets

Nappage :
250 g (8 oz) de fromage à la crème
125 ml (½ tasse) de crème sure
125 ml (½ tasse) de sucre
5 ml (1 c. à thé) de vanille
125 ml (½ tasse) de pacanes en morceaux

Dans un grand bol, dissoudre la poudre pour gelée dans l'eau bouillante.
Incorporer l'ananas et la garniture pour tarte aux bleuets en mélangeant bien. Réfrigérer.
Dans un autre bol, mélanger ensemble les ingrédients du nappage et l'étaler sur la gélatine réfrigérée. Réfrigérer le tout.

Donne 8 à 10 portions

Salade de crevettes

500 ml (2 tasses) de crevettes cuites, décortiquées et déveinées
250 ml (1 tasse) de céleri haché fin
15 ml (1 c. à table) d'oignon haché menu
15 ml (1 c. à table) de jus de citron frais
125 ml (½ tasse) de mayonnaise
Sel et poivre au goût
Laitue romaine ou iceberg
Tomates en tranches minces
Tranches d'avocat, tomates cerise (facultatif)

Dans un grand bol, mélanger ensemble les crevettes, le céleri, l'oignon, le jus de citron, la mayonnaise, le sel et le poivre.

Disposer les feuilles de laitue sur des assiettes, les recouvrir avec les fines tranches de tomates.

À la cuillère, déposer la préparation aux crevettes sur la laitue et les tomates. Garnir de tranches d'avocat ou de tomates cerise, si désiré.

Donne 4 portions

Trempette de fruits au melon d'eau

1 ou 2 pommes, évidées et coupées en tranches
½ cantaloup ou melon d'hiver, coupé en bâtonnets
500 ml (2 tasses) de fraises
½ ananas frais, coupé en gros morceaux

Trempette :
500 ml (2 tasses) de pastèque ou melon d'eau, coupée en gros morceaux
1 paquet de 300 g (10 oz) de framboises surgelées, décongelées
125 ml (½ tasse) de fromage à la crème aromatisé aux fruits, ramolli
250 ml (1 tasse) de yogourt de type Bulgare
10 ml (2 c. à thé) de jus de citron

Disposer les morceaux de fruits sur un grand plat de service. Couvrir d'une pellicule plastique pour éviter le brunissement des fruits et réfrigérer jusqu'au moment de servir.

Déposer les 500 ml (2 tasses) de pastèque, les framboises et le fromage à la crème dans un mélangeur ou un robot culinaire. Mettre en purée jusqu'à obtention d'une consistance lisse. Transférer dans un bol.

Incorporer le yogourt et le jus de citron en remuant. Battre jusqu'à ce que le mélange soit homogène.

Verser la trempette dans un ou plusieurs bols de service. Disposer les fruits autour des bols, ou sur une assiette séparée.

Donne 10 à 12 portions

Mélange pour fête autour de la piscine

90 ml (6 c. à table) de beurre
30 ml (2 c. à table) de sauce Worcestershire
3 ml (¾ c. à thé) d'ail en poudre
7 ml (1½ c. à thé) de sel d'assaisonnement
2 ml (½ c. à thé) d'oignon en poudre
250 ml (1 tasse) d'arachides
250 ml (1 tasse) de mini bretzels
750 ml (3 tasses) de carrés de céréales croquantes au maïs
750 ml (3 tasses) de carrés de céréales croquantes au blé
375 ml (1½ tasse) de pastilles au chocolat
375 ml (1½ tasse) de raisins secs

Préchauffer le four à 120 °C (250 °F).

Y faire fondre le beurre dans un moule de 23 cm x 33 cm (9 po x 13 po).

Retirer le moule du four. Ajouter, en remuant, la sauce Worcestershire, l'ail en poudre, le sel d'assaisonnement et l'oignon en poudre.

Ajouter graduellement les arachides, les bretzels, les céréales croquantes au maïs et au blé. Secouer pour enrober tous les ingrédients de façon uniforme.

Cuire 1 heure environ dans le four préchauffé. Laisser tiédir.

Ajouter les pépites de chocolat et les raisins secs.

Conserver le mélange dans un contenant hermétique jusqu'au moment de servir.

Donne 24 portions

Petit marmiton

Ajoute les pépites de chocolat et les raisins secs au mélange refroidi, et remue bien pour les mélanger.

Sucettes glacées à la banane

4 bananes mûres, pelées
8 bâtonnets en bois
1 paquet de 180 g (6 oz) de morceaux de chocolat au lait ou semi-sucré
15 ml (1 c. à table) de beurre non salé
Noix hachées (facultatif)
Noix de coco émincée (facultatif)

Couper les bananes en deux. Insérer un bâtonnet de bois au bout de chaque morceau. Congeler. Dans le haut d'un bain-marie rempli d'eau chaude (non bouillante), faire fondre les morceaux de chocolat, et y incorporer le beurre doux. Enrober chaque demi-banane glacée du mélange de chocolat. La rouler ensuite soigneusement dans les noix ou la noix de coco, si désiré. Envelopper chaque sucette dans du papier d'aluminium, ou mettre dans un sachet pour congélation et conserver dans le congélateur.

Donne 8 sucettes glacées

Tarte glacée au chocolat

1 contenant de 250 g (8 oz) de fromage à la crème allégé, ramolli
1 contenant de 450 g (16 oz) de garniture à dessert non laitier congelée (de type Cool Whip), décongelée
250 ml (1 tasse) de yogourt à la vanille
250 ml (1 tasse) de jus d'orange
1 paquet de poudre pour gelée à l'orange, sans sucre
2 fonds de tarte aux biscuits au chocolat (prêts à servir)

Dans un grand bol, combiner le fromage à la crème avec la garniture à dessert décongelée; remuer jusqu'à obtention d'un mélange crémeux.
Ajouter le yogourt et le jus d'orange, et mêler au batteur à main jusqu'à obtention d'une préparation très crémeuse.
Parsemer de la poudre pour gelée et remuer jusqu'à ce que le tout soit bien mélangé.
Répartir entre les deux fonds de tarte.
Réfrigérer plusieurs heures avant de servir.

Donne 16 portions

Sandwich géant à la crème glacée

450 g (15 oz) de mélange pour carrés au chocolat (brownies)
150 ml (2/3 tasse) d'eau
125 ml (1/2 tasse) d'huile végétale
2 œufs
250 ml (1 tasse) de pépites de chocolat semi-sucré
2 litres (8 tasses) de crème glacée à la vanille, légèrement ramollie

Nappage :
500 ml (2 tasses) de sucre à glacer
150 ml (2/3 tasse) de pépites de chocolat semi-sucré
250 ml (1 tasse) de lait concentré
125 ml (1/2 tasse) de margarine ou de beurre non salé
5 ml (1 c. à thé) de vanille

Préchauffer le four à 180 °C (350 °F). Garnir de papier d'aluminium deux plaques à pizza rondes de 30 cm (12 po).

Dans un grand bol, combiner le mélange pour carrés au chocolat, l'eau, l'huile, les œufs, et les 250 ml (1 tasse) de pépites de chocolat; bien mélanger. Verser la moitié de la pâte dans chacun des moules garnis de papier d'aluminium. Cuire au four 15 à 20 minutes. (Ne pas trop cuire.) Laisser tiédir. Mettre au congélateur 1 à 2 heures pour faciliter la manipulation.

Montage : Étendre uniformément la crème glacée ramollie sur un des gâteaux. Recouvrir avec l'autre gâteau. Couvrir le sandwich et mettre au congélateur jusqu'à ce que le tout soit ferme. Pendant ce temps, dans une casserole moyenne, combiner tous les ingrédients du nappage, sauf la vanille. Amener à ébullition et cuire 8 minutes en remuant constamment. Retirer du feu et ajouter la vanille en remuant. Laisser tiédir.

Sortir le sandwich à la crème glacée du congélateur et le laisser à la température ambiante 10 à 15 minutes avant de servir. Couper et arroser chaque part de nappage.

Donne 8 à 10 portions

Slushy à la pêche

250 ml (1 tasse) de lait
500 ml (2 tasses) de pêches tranchées (fraîches ou en conserve)
10 ml (1 c. à thé) de sucre

Verser le lait dans des bacs à glaçons et le laisser au congélateur 1 à 2 heures, jusqu'à ce qu'il soit complètement gelé.
Sortir les glaçons de lait du bac et les mettre dans le bol du mélangeur.
Ajouter les pêches et le sucre.
Mêler le tout à puissance élevée jusqu'à obtention d'un mélange très lisse.
Verser dans de petites tasses et servir immédiatement.

Donne 6 portions

Limonade à l'ananas

1 litre (4 tasses) de glace pilée
1 litre d'eau gazeuse, réfrigérée
125 ml (½ tasse) de sucre
750 ml (3 tasses) de jus d'ananas
125 ml (½ tasse) de jus de citron
1 citron, tranché

Répartir la glace et l'eau gazeuse entre 4 grands verres.
Mettre le sucre, le jus d'ananas et le jus de citron dans le bol du mélangeur et mêler le tout à puissance élevée jusqu'à obtention d'un mélange homogène.
Verser dans les verres, sur la glace et l'eau gazeuse.
Garnir avec les tranches de citron.

Donne 4 portions

Lait givré à la fraise

250 ml (1 tasse) de fraises fraîches ou surgelées, décongelées
et égouttées.
250 ml (1 tasse) de lait
30 ml (2 c. à table) de sucre
5 ml (1 c. à thé) de vanille
250 ml (1 tasse) de crème glacée à la vanille, ramollie
Fraises fraîches pour la garniture

Mettre les 250 ml (1 tasse) de fraises et la moitié du lait dans le bol du mélangeur; réduire les fraises en purée.
Ajouter le reste du lait, le sucre et la vanille, bien mélanger pour combiner les ingrédients. Ajouter la crème glacée et mélanger jusqu'à obtention d'un mélange mousseux.
Servir dans de grands verres garnis de fraises fraîches.

Donne 3 à 4 portions

Soda aux délices hawaïennes

175 ml (¾ de tasse) de punch aux fruits
2 boules de sorbet à l'ananas
175 ml (¾ de tasse) de boisson gazeuse à la limette et au citron
Crème fouettée
Morceaux d'ananas
Cerises au marasquin

Verser le punch dans un grand verre.
Ajouter le sorbet et la boisson gazeuse. Bien mélanger.
Garnir avec la crème fouettée, les morceaux d'ananas et une cerise.

Donne 1 à 2 portions

INDEX

Index

Index

TABLEAU D'ÉQUIVALENCES

Équivalence de Volume :

⅛ c. à thé = 0.5 ml
¼ c. à thé = 1 ml
½ c. à thé = 2 ml
¾ c. à thé = 3 ml
1 c. à thé = 5 ml
1 c. à table = 15 ml
¼ tasse = 50 ml
⅓ tasse = 75 ml
½ tasse = 125 ml
⅔ tasse = 150 ml
¾ tasse = 175 ml
1 tasse = 250 ml

1 once = 2 c. à table = 30 ml
4 onces = ½ tasse = 125 ml
8 onces = 1 tasse = 250 ml
12 onces = 1½ tasses = 375 ml
16 onces = 2 tasses = 500 ml

Équivalences de poids :

1 once =30 g
16 onces = 1 lb. = 450 g
¼ lb. = 115 g
½ lb. = 225 g
¾ lb. = 350 g
1 lb. = 450 g
2.2 lbs. = 1 kg

Équivalences Longueur

1 pouce = 2.5 cm
1 pied = 30 cm
39 pouces = 1 m
⅛ pouce = 3 mm
¼ pouce = 6 mm
½ pouce = 1.3 cm

Températures :

200º F = 100º C
250º F = 120º C
275º F = 140º C
300º F = 150º C
325º F = 160º C
350º F = 180º C
375º F = 190º C
400º F = 200º C
425º F = 220º C
450º F = 230º C